Sandra Glover • Aus dem Schatten

D0522758

Foto: © Privat

Sandra Glover ist in Manchester
geboren und hat zunächst als
Lehrerin gearbeitet, bevor sie für
Jugendliche zu schreiben begann.
In jüngster Zeit hat sie sich in
England als Autorin, die spannen-
de Romane zu aktuellen Themen
verfasst, einen Namen gemacht.

DIE AUTORIN

Von der Autorin ist außerdem bei cbt erschienen:
DU (30178)

Sandra Glover

Aus dem Schatten

Aus dem Englischen von
Kattrin Stier

cbt – C. Bertelsmann Taschenbuch
Der Taschenbuchverlag für Jugendliche
Verlagsgruppe Random House

FSC

Mix

Produktgruppe aus vorbildlich
bewirtschafteten Wäldern und
anderen kontrollierten Herkünften

Zert.-Nr. SGS-COC-1940
www.fsc.org
© 1996 Forest Stewardship Council

Verlagsgruppe Random House FSC-DEU-0100
Das für dieses Buch verwendete FSC-zertifizierte
Papier *München Super* liefert Mochenwangen.

1. Auflage
Deutsche Erstausgabe Februar 2009
Gesetzt nach den Regeln der Rechtschreibreform
© 2005 by Sandra Glover
Die englische Originalausgabe erschien
2005 unter dem Titel »Spiked«
bei Andersen Press Ltd., London.
© 2009 der deutschsprachigen Ausgabe bei
cbt/cbj Verlag, München, in der Verlagsgruppe
Random House GmbH
Alle deutschsprachigen Rechte vorbehalten
Übersetzung: Kattrin Stier
Lektorat: Ulrike Hauswaldt
Umschlagbild: plain picture, hh
Umschlagkonzeption: init.büro
für gestaltung, Bielefeld
he · Herstellung: ReD
Satz: KompetenzCenter, Mönchengladbach
Druck und Bindung: GGP Media GmbH,
Pößneck
ISBN: 978-3-570-30438-9
Printed in Germany

www.cbt-jugendbuch.de

Kapitel 1

Debra packte den Zettel, drängelte sich nach draußen auf den Hof und achtete dabei gar nicht auf das Geschrei und Gekreische um sie herum. Ihre Hände zitterten, und ihr Blick verschwamm, als sie auf das Blatt schaute und versuchte, das alles zu begreifen.

»Und?«, fragte Beth.

»Ich habe ein A in Französisch!«, sagte Debra vollkommen geplättet. »Ich glaub's nicht! In Französisch!«

»Warum verkündest du es nicht noch ein bisschen lauter, Debra?«, spottete eine Stimme. »Damit auch alle mitkriegen, dass du lauter As hast!«

Debra drehte sich um und sah Amy Parker mit ihrer Busenfreundin Ellie vorbeigehen.

»Sorry«, murmelte Debra. »Äh, wie sieht's denn bei dir aus?«

»Ich bin ganz zufrieden«, sagte Amy. »Nicht so gut wie bei dir natürlich, aber ich bin schließlich auch keine Streberin. Es gibt noch Leute, die ein Leben außerhalb der Schule haben, stimmt's, Ellie?«

»Kümmere dich nicht um sie«, sagte Beth und schnappte sich Debras Ergebnisse, während Amy weiterging. »Hey, du hast ja auch noch ein A in Geschichte ... super! Da wird Mr Mason staunen! Und ein A* in Literatur ...«

Debra hörte den Rest nicht mehr, weil Tonya und Safira angelaufen kamen, auf sie zusprangen und sie umarmten, sodass ihr fast die Luft wegblieb. Aber Debra brauchte es nicht mehr zu hören. Sie kannte ihre Noten bereits auswendig. Und sie waren gut. Sehr gut sogar. Viel besser, als sie erwartet hatte. Gut genug, um das monatelange, mühsame Lernen und die vollkommene Stilllegung ihres Privatlebens aufzuwiegen ... ganz gleich was Amy darüber dachte.

»Und was ist mit euch?«, brachte sie mühsam hervor, nachdem sie sich aus den Umarmungen befreit hatte.

Die Mädchen ließen ihre Zeugnisse kursieren.

»Verdammt noch mal, Beth!«, schrie Safira. »Ich dachte, Tonya und ich hätten gut abgeschnitten, bis ich das hier gesehen habe. Lauter As*! Alles nur As*!«

Aber das sagte sie ohne jeden bösen Unterton. Es überraschte keine, dass Beth sie alle überrundet hatte. Das war schon immer so gewesen. Schon seit der Grundschule. Beth war einfach ein Naturtalent.

Zeugnisse wanderten vor und zurück, Ergebnisse wurden analysiert und Glückwünsche und in manchen Fällen auch Beileidsbekundungen ausgesprochen, als ein Auto auf den Parkplatz einbog. Jemand stieg aus und knallte die Tür zu.

»Hey, Debra«, rief der Mann. »Komm mal her und bring deine Freundinnen mit.«

»Das ist Tim«, sagte Debra. »Tim Simmonds. Fotograf. Der ist bei der Zeitung von meiner Mutter.«

»Ist alles in Ordnung mit dem?«, fragte Beth. »Er wirkt ein bisschen ...«

Betrunken.

Beth hatte es nicht ausgesprochen. Das war nicht nötig. Es war offensichtlich genug, wenn man sich sein unrasiertes Gesicht und die zerknitterten Klamotten anschaute, in denen er vermutlich geschlafen hatte. Ganz zu schweigen von dem Whiskygestank, als er näher kam.

»Darf der denn so Auto fahren?«, flüsterte Safira. »Ich meine, wie macht der seine Arbeit, wenn er Alkoholiker ist?«

»Das ist er nicht«, zischte Debra, die nicht zu viel verraten wollte, nicht einmal ihren besten Freundinnen. »Er trinkt nur ein bisschen viel, das ist alles. Und das auch erst in der letzten Zeit.«

»Debra, Süße!«, rief Tim, bevor jemand noch etwas fragen konnte. »Wie ist es gelaufen?«

»Super«, sagte Debra und zeigte ihm ihr Zeugnis. »Ich hab gut abgeschnitten.«

»Mehr als gut!«, sagte Tim und lächelte sie an. »Ich kläre nur kurz mit euren Lehrern, ob es okay ist, wenn ich euch fotografiere. Man kann heutzutage nicht vorsichtig genug sein! Geht nicht weg.«

Wenige Minuten später war er zurück.

»Also kommt, Mädels. Wie wäre es mit einem Foto neben dem Eingang? Ja, genau so. Noch ein bisschen näher zusammenrücken. Und bitte lächeln! Ihr sollt doch glücklich aussehen. Wedelt mal ein bisschen mit euren … Zeugnissen!«

»Ich bin auch glücklich«, sagte Omar Choudray, der herbeigesprungen kam. »Ich habe alles bestanden. Wie wäre es mit einem Foto von mir?«

»Tut mir leid«, sagte Tim. »Ich bin auf der Suche nach ein bisschen Glamour. Unsere Leser wollen Geist *und* Schönheit sehen.«

»Mit Schönheit kann ich auch dienen«, sagte Omar,

zog sein T-Shirt hoch und nahm eine bauchfreie Girlie-Pose ein.

»Reizend«, sagte Tim mit einem Lächeln. »Aber mit unserer entzückenden Debra kannst du einfach nicht konkurrieren.«

»Mädchen!«, sagte Omar und trat widerstrebend beiseite. »Es geht doch immer nur um die Mädchen, oder? Kein Wunder, dass sich die Jungs nicht mal mehr die Mühe machen, es zu versuchen. Für uns interessiert sich doch eh keiner.«

»Na gut«, sagte Tim, »vielleicht können wir hier mit Gegensätzen arbeiten. *The Beauty and the Beast.* Stell dich nach hinten. Und du, Debra, kommst ein Stückchen weiter vor. Genau so. Augenblick mal, ich glaube, wir könnten noch ein paar mehr im Bild gebrauchen. Wie wär's mit dir, Kleine?«

Damit wandte er sich an Miriam, die ein paar Schritte entfernt stand. Groß. Blonde Haare. Riesige grüne Augen. Und nach allgemeiner Meinung das hübscheste Mädchen der ganzen Schule. Selbst jetzt, mit dunklen Ringen unter den Augen und mit der von Natur aus schlanken Figur, die nun gefährlich dünn wirkte, war Miriam noch immer wunderschön.

»Finden Sie nicht, dass es reicht, wenn *ein* Mitglied meiner Familie überall in Ihrer verdammten Zeitung ausgewalzt wird?«, blaffte sie.

»Tja«, sagte Tim leicht verwirrt, als Miriam davonging. »Man kann halt nicht alle haben. Aber was ist denn mit dem jungen Mann dort, mit den roten Haaren? Nein, du nicht, du bist zu groß! Stell dich hinten hin. Ach ja, und das Mädchen in dem roten Top. Komm her, stell dich da neben Debra. Genau so. Bleib so. Noch eines. Super!«

Weder war Tims Sprache nuschelig noch zitterten seine Hände. Es gab keinerlei Anzeichen dafür, dass die Bilder, die in der Abendzeitung erscheinen würden, weniger als perfekt sein könnten. Irgendwie gelang es ihm immer noch, seine Arbeit zu tun, obwohl es in der letzten Zeit Dutzende von Beschwerden über seinen Geruch, seine Unpünktlichkeit und seine ungepflegte Erscheinung gegeben hatte.

Er notierte sich ihre Namen und Noten und umarmte Debra schnell, bevor er davonfuhr.

»Meinen Glückwunsch, Debra«, sagte er. »Und heute Abend wird gefeiert, oder?«

»Wir gehen essen, mit der Familie«, sagte Debra und verzog das Gesicht. »Die große Party ist am Samstagabend.«

Sie winkte Tim hinterher, als er ins Auto stieg, aber ihre Aufmerksamkeit galt schon wieder anderen Dingen. Sie hatte sich zum Haupteingang gewandt und überlegte, wohin Miriam verschwunden war. Tonya hatte gesagt, dass Miriam mit ihren Noten unzufrieden sei. Obwohl die in Anbetracht der Umstände eigentlich gar nicht so schlecht waren, wie Tonya angemerkt hatte.

Debra konnte Miriam nicht entdecken, aber viele weitere Schüler und einige Lehrer waren herausgekommen. Nur Debras Dad war nicht unter ihnen. Er hatte wohl noch zu tun. Musste die Statistik auswerten und sich um Problemfälle kümmern. Als stellvertretender Direktor hatte er bestimmt als einer der Ersten die Ergebnisse gesehen, aber er hatte sie nicht angerufen und sie auch nicht vorab in die Listen blicken lassen. Sie hatte in die Schule kommen müssen, wie alle anderen.

Als sie langsam in Richtung der Eingangstür schlenderte, kam Marc Cavendish herausgestürmt. Er schimpfte und fluchte vor sich hin. Ganz automatisch fuhr sich Debra mit der Hand durch die Frisur. Mit einem Blick kontrollierte sie rasch den Sitz ihres Rockes, und ihr Mund verzog sich zu einem, wie sie hoffte, unwiderstehlichen Lächeln. Nur ihre Beine ließen sie im Stich. Sie bekam so weiche Knie, dass sie stehen bleiben musste.

»Reiß dich zusammen, Debra«, sagte Beth. »Immer cool bleiben.«

Cool! Wie konnte sie in Marc Cavendishs Nähe cool bleiben? Er war einfach so absolut total zum Dahinschmelzen. Auch wenn es keine Rolle spielte, dachte Debra. Er hatte sie nicht einmal bemerkt. Er hatte ein anderes Publikum gefunden. Seine übliche Clique von Fußballkumpels – Omar, Benny und ein paar andere.

»Er sagt, ich muss Mathe wiederholen, der blöde …«

Keiner konnte so viele Schimpfwörter in so kurzer Zeit benutzen wie Marc, wenn er schlechte Laune hatte, dachte Debra, während Marc eine ganze Reihe von Flüchen losließ.

»Und englische Literatur!«, sagte er. »Also ich finde, was haben Mathe und das verdammte Englisch mit meinen A-Level-Kursen in Sport zu tun? Ich habe 5 mal A bis C. Das reicht doch, oder? In Sport und Informatik habe ich ein B! Und was tut er? Hält mir eine Standpauke, dass ich nicht so viel Scheiß bauen und mich richtig auf die Arbeit konzentrieren soll. Er hat es echt auf mich abgesehen. Genau wie auf unseren Dean!«

An dem bitterbösen Blick, den Marc ihr zugeworfen hatte, konnte Debra erahnen, wer mit »er« gemeint war, obwohl sie sich ziemlich sicher war, dass ihr Vater den Ausdruck »Scheiß bauen« bestimmt nicht benutzt hätte.

»Der Typ hat echt ein Rad ab«, sagte Marc und kickte eine

leere Coladose zu Benny. »Er hat mir gesagt, dass ich nicht zur Oberstufe zugelassen werde, wenn ich nicht lerne, mein Mundwerk im Zaum zu halten.«

Debra holte tief Luft und wartete auf den unausweichlichen Höhepunkt seiner Unflätigkeiten. Ihr Dad kannte Marc fast ebenso gut wie sie. Marc konnte ziemlich witzig sein und war bekannt dafür, dass es ihm meistens gelang, sich mithilfe seines Charmes durchzumogeln, wenn er es wollte. Aber wenn er erst einmal in Rage kam, war er nicht so leicht zu stoppen.

»Und ich hab's ihm gegeben, oder?«, fuhr Marc fort. »Ich hab ihm ganz genau gesagt, wo er sich seine Oberstufe hinstecken kann. Der soll sich doch verpissen mitsamt seiner Schule. Ich geh hier sowieso nicht mehr hin, selbst wenn man mich dafür bezahlen würde.«

Er bückte sich, hob einen Stein auf und drehte sich dann zum Fenster des Sekretariats um.

»Nicht, Marc!«, schrie Debra und stürzte vor.

Aber es war schon wieder vorbei. Omar hatte ihn bereits gepackt. Benny hatte ihm den Stein abgerungen und führte ihn in Richtung Schultor. Die Mädchen konnten Marcs Rufen und Fluchen noch hören, als er bereits die halbe Straße hinuntergegangen war.

»Das hat er nicht so gemeint«, versuchte Debra sich selbst glauben zu machen. »Ihr wisst ja, wie er ist, wenn er sich in Rage geredet hat. Er will nicht wirklich aufhören. Alle seine Freunde machen weiter. Und Mr Mason würde das gar nicht zulassen, oder? Er braucht Marc für seine Mannschaften.«

»So wie sich das eben angehört hat«, sagte Tonya, »lässt dein Vater ihn sowieso nicht weitermachen.«

»Ach, Mr Mason wird Dad schon überreden«, sagte Debra.

Sie hielt inne. Wenn man es genau bedachte, dann war Mr Mason bestimmt der Letzte, auf den ihr Vater hören würde. Obwohl er nie viel über Kollegen sprach, wenn Debra in der Nähe war, war es doch offensichtlich, dass er Allan Mason nicht besonders schätzte. Dabei war sein Unterricht nicht das Problem, denn Mr Mason machte einen ordentlichen Unterricht in Geschichte und einen hervorragenden in Sport. Und ihr Vater war dankbar für die viele zusätzliche Arbeit, die Mr Mason mit den Sportmannschaften leistete. Aber ihr Vater hielt Allan Mason für arrogant und er fand sein Verhältnis zu einigen Schülern allzu freundschaftlich. Er missbilligte es, dass Mr Mason sich wiederholt mit ehemaligen Schülerinnen eingelassen hatte.

Erst im vergangenen Jahr hatte es großen Ärger gegeben, als Zara Fishers Eltern sich bei der Schulaufsicht beschwert hatten. Mr Mason war kurz davor gewesen, seinen Job zu verlieren. Ja, wenn es nach ihrem Vater gegangen wäre, dann hätte er ihn vermutlich verloren. Aber die Schulaufsicht war anderer Meinung gewesen. Zara war bereits von der Schule abgegangen. Und die Beziehung war ohnehin beendet. Und Zara hatte gelogen, als sie behauptet hatte, schwanger zu sein. Also wurde der Mantel des Schweigens über die Sache gebreitet. Abgesehen von der Tatsache, dass natürlich jeder in der Schule genauestens darüber Bescheid wusste.

»Vielleicht«, meinte Debra nachdenklich, »sollte ich selbst mal mit Dad darüber reden.«

»Glaubst du etwa, dass Marc es dir danken wird?«, sagte Beth. »Glaubst du, er wird so ungeheuer dankbar sein, dass er sich wieder mit dir einlässt?«

»Ich rede ja gar nicht davon, dass ich wieder mit ihm gehen will«, sagte Debra.

»Gut«, meinte Tonya. »Denn beim letzten Mal hat er dich mehr als beschissen behandelt.«

»Stimmt ja gar nicht«, sagte Debra, während Beth und Tonya vielsagende Blicke tauschten. »Er war einfach noch nicht bereit für eine ernsthafte Beziehung, das ist alles.«

»Er ist lächerlich und unreif, Debra«, sagte Beth ruhig. »Das willst du nur nicht wahrhaben, das ist alles.«

Unreif? Wie konnte Beth so etwas sagen? Erstens sah Marc so viel älter aus als all die anderen Jungs in der Elften, und zweitens konnte er total romantisch sein, wenn man ihn allein erwischte. Ihre Freundinnen erlebten Marc nie von seiner besten Seite, und das wollte sie ihnen gerade sagen, als Miriam herauskam.

»Wo bist du denn hin verschwunden?«, fragte Beth.

»Ich habe mit Mr Cardew gesprochen«, sagte sie und schaute dabei Debra an.

»Warum?«, fragte Debra. »Warum musstest du meinen Vater sprechen? Tonya hat gesagt, du hättest alle Noten, die du wirklich brauchst. Du musst doch nicht einen der A-Level-Kurse ändern, oder?«

»Nein«, sagte Miriam. »Aber ich werde sie nicht hier machen.«

»Wie meinst du das?«, fragte Beth.

»Wir ziehen um«, sagte Miriam.

Keiner fragte, warum. Alle wussten Bescheid.

»Meine Mutter meint, wir sollten es aussitzen«, sagte Miriam. »Aber Dad hat genug. Heute kam noch so ein Brief.«

Tränen traten ihr in die Augen, während sie das sagte. Beth und Tonya führten Miriam zu einer Bank und setzten sich rechts und links neben sie. Debra blieb ein wenig zurück, sie kam sich irgendwie schuldig vor. Als wäre es ihre Schuld, dass die Zeitung ihrer Mutter über den Fall berichtet und die Aufmerksamkeit der Leute auf Miriams Familie gelenkt hatte, die nun Drohbriefe erhielt.

»Und es ist nicht nur mein Vater«, sagte Miriam. »Es geht auch um mich. Ich halte es nicht aus. Ich halte diese Blicke, das Flüstern nicht aus. Ich kann nicht mehr schlafen.«

»Keiner flüstert«, sagte Beth.

»Dann bilde ich mir das also alles nur ein?«, blaffte Miriam. »Ihr solltet mal ein paar von diesen Briefen lesen. Ich weiß nicht, wie sie auf uns gestoßen sind. Wie sie unsere Adresse herausbekommen haben. Es ist ja nicht so, als hätten wir den gleichen Nachnamen wie Onkel Gordon. Aber diese Leute sind wie besessen. Sie lassen nicht locker. Sie werden nie mehr lockerlassen. Und das ist noch nicht alles.«

»Wie meinst du das?«, fragte Beth.

»Es sind nicht nur die Verrückten und ihre Drohbriefe«, sagte Miriam. »Es sind auch die ganz normalen Leute. Freunde, Nachbarn, Leute, die wir seit Jahren kennen. Sie begegnen uns jetzt ganz anders. Die eine Hälfte geht uns total aus dem Weg und die andere Hälfte ist voller falscher Sympathie und krankhafter Neugier und giert nach jedem ekligen Detail.«

»Und wohin zieht ihr?«, fragte Tonya. »Wann geht ihr weg?«

»Also, das Haus ist schon verkauft.«

»Verkauft!«, kreischte Tonya. »Ich wusste ja noch nicht mal, dass ihr es zum Verkauf angeboten habt.«

Miriam zuckte die Schultern.

»Hoffentlich schon nächste Woche«, sagte sie. »Wenn alles nach Plan läuft. Aber ganz bestimmt bis zum Ende des Sommers. Aber wohin, das kann ich euch nicht sagen. Dad sagt, wir dürfen es niemandem verraten.«

»Du wirst mir fehlen!«, sagte Beth und umarmte Miriam.

Debra stand auf. Das Blatt mit den Ergebnissen, das sie in der Hand hielt, zerknüllte sie zu einem festen Ball, während sich der letzte Rest von Hochgefühl verflüchtigte.

Nichts klappte so, wie es sollte. Marc würde im nächsten Jahr nicht wiederkehren, und nun wurde Miriam nicht nur *ver-*, sondern auch fast in den Wahnsinn *ge*trieben von einem Skandal, der nichts mit ihr zu tun hatte. Nicht wirklich. Warum sollte Miriam unter dem zu leiden haben, was ihr Onkel getan hatte? Ganz gleich wie pervers es war. Und sie litt ganz offensichtlich. Sie wirkte ständig krank, sie hatte oft in der Schule gefehlt und ihre ganze Ausstrahlung und ihr Selbstvertrauen verloren. Ganz abgesehen davon, musste sie mit ansehen, wie die Ehe ihrer Eltern unter dem Druck in die Brüche ging. War das alles nicht schon schlimm genug? Mussten es die Leute noch schlimmer machen?

»Und was ist mit Samstagabend?«, fragte Tonya nun. »Du kommst doch trotzdem noch zu der Party, oder?«

»Ich glaube kaum«, sagte Miriam.

»Du musst aber«, entgegnete Beth.

Die schlaue, schlagfertige Beth, die sie alle zusammenhielt.

»Das ist doch unser letzter richtiger Abend zusammen«, beharrte sie. »Wenn du nicht bis sieben bei Tonya aufkreuzt, dann komme ich bei dir zu Hause vorbei und entführe dich, kapiert?«

»Ich schau mal«, sagte Miriam, als eine Hupe von der Auffahrt her ertönte. »Ich muss jetzt. Mum ist da.«

»Glaubt ihr, dass sie zur Party kommt?«, fragte Tonya.

Debra nickte. Sie wusste genau, dass Beth später mit Miriam telefonieren, ihr gut zureden und sie überreden würde. Wahrscheinlich würde Miriam kommen. Aber was war mit

Marc? Die Party wäre keine richtige Party, wenn Marc nicht dabei war und für Stimmung sorgte.

»Gut gemacht, Mädels«, sagte eine Stimme.

Es war die Lehrer-Stimme ihres Vaters. Debra schaute auf. Ihr Vater achtete immer sehr darauf, ganz professionell und distanziert zu sein, wenn andere Leute zugegen waren. Aber diesmal konnte er sich nicht zurückhalten.

»Spitze, Debra!«, sagte er begeistert, obwohl sowohl Beth als auch Tonya noch besser abgeschnitten hatten. »Gut gemacht, mein Schatz.«

»Ja, ihr habt es *allesamt* gut gemacht«, sagte Mr Mason, der ihm nach draußen gefolgt war. »Alles klar, Bob? Hast du deine Statistiken im Griff?«

Debra bemerkte, wie ihr Vater zusammenzuckte. Er hieß Robert, und er konnte es gerade noch ertragen, von Leuten, die ihn wirklich gut kannten, Rob genannt zu werden, aber er hasste »Bob«. Und Debra konnte dem Grinsen auf Allan Masons Gesicht entnehmen, dass er sich darüber durchaus im Klaren war.

»Kann ich dich mal kurz sprechen, Bob?«, fragte Mr Mason. »Es geht um Marc Cavendish.«

Mr Cardew nickte entnervt und wandte sich um. Beim Hineingehen blieb er kurz stehen und blickte zu Debra zurück.

»Und was hat Mummy dazu gesagt?«, fragte er.

Debra schlug sich mit der Hand vor den Mund.

»Ich hab sie noch gar nicht angerufen!«, sagte sie. »Und Lori auch nicht. Ich glaub's nicht. Ich hab's einfach total vergessen. Ich rufe sie beide gleich an.«

Fiona Cardew hielt kurz inne, bevor sie zum Hörer griff. Sie warf einen Blick zu der Frau hinüber, die vor einer Viertelstunde in ihr Büro geplatzt war und jetzt tränenüberströmt darin auf und ab lief.

»Entschuldigung«, sagte Fiona zu ihr. »Das dauert nicht lange. – Hi, Debra. Wie ist es gelaufen? Fünf A … und fünf A*! Das ist ja fantastisch, Debra!«

»Ist bei dir alles in Ordnung, Mum?«, fragte Debra. »Ich kann jemanden weinen hören.«

»Ja«, sagte Mrs Cardew mit einem Blick auf die Frau. »Mir geht's gut. Aber es ist etwas ungeschickt gerade. Kann ich dich später zurückrufen?«

Fiona legte den Hörer auf. Sie hatte ein etwas schlechtes Gewissen, aber sie wusste, dass Debra Verständnis haben würde. Nun wandte sie ihre Aufmerksamkeit wieder ganz der Frau zu. Sie war groß. Nicht dick, aber kräftig gebaut. Riesige Füße und Hände. Ihr Gesicht hatte strenge, fast männliche Züge. Sie war nicht der Typ, der leicht in Tränen ausbrach.

»Mrs Hall«, sagte Fiona und bot ihr ein Taschentuch aus der Schachtel auf ihrem Schreibtisch an. »Bitte, setzen Sie sich doch.«

Die Frau nahm Platz und wischte sich die Augen mit dem Taschentuch. Sie versuchte, sich zu fangen.

»Es tut mir leid«, sagte sie. »Ich weiß nicht, warum ich gekommen bin. Es wird ja ohnehin nichts nützen, oder? Sie werden es in die Zeitung bringen, ganz gleich was ich sage, nicht wahr?«

Fiona nickte.

»Das muss ich«, sagte sie ruhig. »Es ist nichts, was ich so einfach ignorieren könnte. Es ist ein großer Fall.«

Groß! Wem wollte sie hier eigentlich etwas vormachen? Der Fall war gigantisch. Es war eine der größten und diffizilsten Geschichten, über die die Zeitung berichtet hatte, seit Fiona vor vier Jahren zur Chefredakteurin ernannt worden war. Im vergangenen Jahr waren drei Männer wegen Download von Kinderpornografie aus dem Internet verhaftet worden.

Drei Festnahmen in einer Stadt wie ihrer war schon allerhand. Dazu kam noch die Tatsache, dass es sich bei zweien der Männer um bekannte Persönlichkeiten handelte: Councillor Gordon Wilcox, der vor zwei Monaten verurteilt worden war und nun eine Strafe von fünf Jahren absitzen musste, und Dr. James Hall, dessen Verfahren im kommenden Monat eröffnet werden würde. Dazwischen war die Geschichte, die momentan in der Zeitung stand. Vermutlich die schlimmste von allen. Wenn man solche Dinge überhaupt miteinander vergleichen konnte. Ein Mann, der sich Bilder von Kindern geholt hatte, die nicht älter als zwei Jahre waren. Kleinkinder. Fast noch Babys. Mädchen wie Jungen gleichermaßen.

Für seine Freunde und seine Familie war er ein ganz normaler Mann gewesen. Ein 33-jähriger Klempner. Er war sogar verheiratet und hatte – um Gottes willen! – selbst zwei kleine Kinder.

Fiona schauderte. Es war unvorstellbar. Vollkommen unvorstellbar.

»Mein Mann ist unschuldig«, sagte Mrs Hall und fing wieder an zu weinen. »Er ist nicht so wie die anderen. Es war ein Versehen. Es war alles ein Versehen. Er hat sich mit Kindesmisshandlung beschäftigt für einen Artikel, den er schreiben wollte. Dabei ist er auch auf Kinderprostitution gestoßen. Er hat einige der Websites besucht in der Meinung, es sei Berichterstattung zum Thema. Er hatte keine Ahnung, wie schlimm diese Seiten sind.«

Sie hielt einen Augenblick inne, vielleicht spürte sie Fionas Skepsis.

»Er war schockiert über das, was er dort gefunden hat. Über das Ausmaß. Wie einfach es war, da dranzukommen. Und dann hat er beschlossen, sich in seinem Artikel auf sexuellen Missbrauch zu konzentrieren. Na, und dabei musste er sich diese Seiten doch ansehen, oder?«, fügte sie hinzu. »Wie hätte er sonst recherchieren sollen? Das war alles, was er getan hat. Recherche. Und jetzt behandelt man ihn wie einen gefährlichen Verbrecher. Man lässt ihn noch nicht einmal gegen Kaution frei!«

Sie stand auf. Legte die Hände flach auf den Tisch und starrte Fiona an.

»Mein Mann ist kein Pädophiler, Mrs Cardew«, sagte sie. »Er ist ein guter Mann. Er ist 52. Er ist noch nie mit dem Gesetz in Konflikt gekommen. Noch nicht mal einen Strafzettel wegen Falschparkerei hat er bekommen. Wir sind seit fast dreißig Jahren verheiratet. Glauben Sie nicht, dass ich ihn nach all der Zeit genau kenne?«

Fiona zögerte und fragte sich, ob Mrs Hall wohl eine Antwort von ihr erwartete. Oder welche Antwort sie ihr überhaupt geben konnte. Wir denken alle, dass wir unsere Mitmenschen kennen, überlegte Fiona. Sie war sich ziemlich sicher gewesen, Gordon Wilcox zu kennen. Sie hatten im Laufe der Jahre oft zusammengearbeitet. Waren auf denselben Partys und Empfängen gewesen. Abgesehen davon war er der Onkel von Miriam. Und Miriam war eine von Debras besten Freundinnen, die sie schon seit dem Kindergarten kannte.

Gordon war ein angesehener Mann gewesen, sowohl als Lokalpolitiker als auch als engagierter Vater, der seinen Sohn alleine großgezogen hatte, nachdem ihn seine Frau vor zwanzig Jahren verlassen hatte. Er war das, was man am besten mit dem altmodischen Wort »Gentleman« umschreiben konnte.

Aber einer, der offenbar ein Doppelleben geführt hatte. Im Gegensatz zu Dr. Hall hatte Gordon sich schuldig bekannt. Er hatte gestanden, dass er sich zuerst aus Neugier pornografische Internetseiten angesehen hatte. Dann hatte eins zum anderen geführt. Zuerst waren es Erwachsene gewesen. Frauen. Dann Mädchen. Jüngere Mädchen. Es war alles so einfach. So verführerisch. Und es machte süchtig, hatte er behauptet. War das auch dem Ehemann dieser Frau hier so gegangen? Oder handelte es sich wirklich um ein Versehen?

»Hören Sie mir überhaupt zu?«, schrie Mrs Hall plötzlich. »Hören Sie, was ich Ihnen zu sagen habe? Mein Mann ist unschuldig und Sie werden ihn nicht zu einem miesen kleinen Perversling machen! So wie sie es mit Gordon Wilcox getan haben und mit diesem Klempner. Sie zerstören Leben!«

Fiona seufzte. Sie hatten versucht, Sensationslust in der Zeitung zu vermeiden. Hatten sich an die Tatsachen gehalten. Aber die Tatsachen waren schlimm genug. Man konnte dem Schmutz nicht ausweichen. Er war einfach da. Die Beweislage war klar. Das brauchte man gar nicht hochzukochen. Und was das Zerstören von Leben anbetraf … hatten dafür die Männer nicht selbst gesorgt?

»Wir werden über das Verfahren berichten, wenn es anfängt«, sagte Fiona langsam. »Das ist alles. Aber ich kann Ihnen nichts über andere Zeitungen sagen. Möglicherweise wird es sogar von den überregionalen Zeitungen aufgegriffen. Das wissen Sie doch, oder?«

»Sie sind alle gleich schlimm«, schrie Mrs Hall und schlug

mit der Faust auf den Tisch. »Und Sie wissen das! Verurteilt durch die Presse! Er wird schuldig sein, ganz gleich wie sich das Gericht entscheidet. Unser Leben ist ohnehin schon kaputt. Und er wird es nicht ertragen, das weiß ich. Ich bin sicher, dass er versuchen wird, sich …«

Sie hielt plötzlich inne, wandte sich um und ging zur Tür. Sie öffnete sie und warf dann einen Blick zurück auf Fiona.

»Als wenn Sie das kümmern würde!«, blaffte sie. »Wenn es nach Ihnen ginge, wäre auch das nur eine weitere gute Story, oder? Wenn er sich umbringen würde.«

Fiona schüttelte den Kopf, seufzte und schaute auf die Uhr, als Mrs Hall aus dem Zimmer stürmte. Fast schon Mittag. In fünf Minuten hatte sie ihr nächstes Meeting. Gerade noch genug Zeit, um rasch Debra zurückzurufen. Sie durfte nicht vergessen zu fragen, wie es der armen Miriam ging und ob Tim an der Schule aufgekreuzt war und ob er nüchtern gewesen war.

Kapitel 2

»Wollt ihr Mädels jetzt gefahren werden oder was?«, fragte Tonyas Mutter, die in der Tür stand.

Sie machte keine Bemerkung über den Zustand des Zimmers. Die herumfliegenden Kleidungsstücke, das Schminkzeug und die Schuhe, die über den Boden verstreut lagen. Sie sagte noch nicht einmal etwas zu der Haarfarbe, die irgendwie an Beths Kopf vorbei auf die Wand des Zimmers gespritzt war. Tonyas Mutter machte nie einen Aufstand. Sie war erst 38 und sah mit ihrem kurzen Oberteil, das neben dunkel glänzender Haut auch ihr Bauchnabelpiercing freigab, eher aus wie Tonyas Zwillingsschwester als wie ihre Mutter. Und sie wusste über all ihre Geheimnisse Bescheid.

»Nicht vergessen«, erklärte Beth ihr, während die drei Mädchen schließlich ins Auto stiegen. »Wenn meine Eltern anrufen, dann bin ich gerade auf dem Klo oder so. Und ich rufe sie zurück. Und Debra genauso.«

Debra war sich ziemlich sicher, dass ihre Eltern nicht anrufen würden. Okay, sie waren alle beide sehr eigen, was ihre berufliche Stellung anbetraf und wie peinlich es wäre, wenn sie oder Lori in irgendwelche größeren Schwierigkeiten verwickelt wären, und das machte es manchmal schwer, ganz offen und ehrlich mit ihnen zu sein. Aber sie waren nicht so misstrauisch wie Beths Mutter und Stiefvater. Wenn Debra sagte, sie wäre auf einer kleinen Party bei Tonya, dann glaubten sie ihr das.

»Ich weiß nicht, warum du es ihnen nicht einfach sagst!«, hatte Debras Schwester Lori gesagt. »Sie hätten doch nichts dagegen, wenn du ins Pub gehst. Schließlich habt ihr ja eure Prüfungen zu feiern. Du solltest ihnen die Wahrheit sagen.«

»So wie du ihnen immer die Wahrheit über alles sagst, was du so an der Uni treibst?«, hatte Debra entgegnet.

»Das ist etwas anderes«, hatte Lori geantwortet. »Das finden sie wohl kaum heraus, oder? Aber von dieser Geschichte erfährt Dad mit Sicherheit. Schließlich scheint ja der ganze Jahrgang zu kommen! Und dann musst du dir den Vortrag anhören, von wegen sie hätten dir vertraut und du hättest sie enttäuscht.«

»Nun ja, darum werde ich mich kümmern, wenn es so weit ist«, hatte Debra gesagt.

Sie wollte das Risiko nicht eingehen, dass sie es ihr nicht erlaubten. Und wenn sie erfuhren, dass die Party im *Lion* stattfand, konnte das durchaus passieren, ganz gleich wie erfreut sie über ihre Noten waren. Benny und Tonya hatten den Raum in dem Pub reserviert, angeblich um dort einen achtzehnten Geburtstag zu feiern. Alkohol würde also kein Thema sein. Aber die Mühe hätten sie sich gar nicht machen müssen. *The Lion* lag abseits, ein paar Kilometer außerhalb der Stadt, und war berüchtigt für seine späten Öffnungszeiten und den lockeren Umgang mit Vorschriften. Ganz abgesehen von den Schlägereien, die es dort regelmäßig gab.

Von Zeit zu Zeit tauchte die Polizei dort auf, um eine halbherzige Kontrolle durchzuführen. Hoffentlich würden sie sich nicht gerade den heutigen Abend für einen ihrer Besuche aussuchen. »Tochter von Konrektor bei Kneipenrazzia verhaftet« war nicht gerade die Schlagzeile, die Debras Mutter in ihrer Zeitung lesen wollte.

»Hier links«, kreischte Beth plötzlich. »Wir müssen doch Miriam noch abholen!«

»Bestimmt ist sie nicht da«, unkte Tonya, als der Wagen um die Ecke bog. »Sie hat es nur gesagt, damit du Ruhe gibst. Sie hatte nicht wirklich die Absicht mitzukommen.«

Aber da stand Miriam neben dem Tor zu ihrem Haus, direkt unter dem Schild mit der Aufschrift »VERKAUFT«. Sie trug Jeans und ein ausgeleiertes T-Shirt. Nicht gerade stylisch.

»Ich bleibe nur ein, zwei Stunden«, teilte sie den anderen mit. »Mein Cousin kommt so gegen zehn dort vorbei und nimmt mich dann mit nach Hause.«

Die Erwähnung von Miriams Cousin hing in der Luft und wartete auf einen Kommentar. Wenn die Zeit seit der Gerichtsverhandlung für Miriam schwer gewesen war, wie musste es dann erst für Eddie gewesen sein?

»Wie geht es ihm?«, fragte Beth. »Wie kommt er zurecht?«

»Gar nicht so schlecht«, sagte Miriam. »Er sagt nicht viel. Aber das hat Eddie noch nie getan. Mum hat versucht, mit ihm zu reden, ihm ein bisschen was zu entlocken, aber er lässt keinen an sich ran. Und ich kann es ihm nicht verdenken. Es nützt nichts, es immer wieder und wieder durchzukauen, so wie meine Mutter das tut, auf der Suche nach Erklärungen und Entschuldigungen. Sie und Dad streiten sich die ganze Zeit deswegen. Sie drehen sich im Kreis.«

»Was ist mit Eddies Mutter?«, fragte Tonya. »Ich vermute, sie hat sich auch jetzt nicht gerührt, oder?«

Miriam schüttelte den Kopf.

»Das letzte Mal, dass sie von ihr gehört haben, war, als Eddie zehn war. Keiner weiß, wo sie ist oder ob sie überhaupt noch lebt. Onkel Gordon war der Einzige, den Eddie wirklich hatte, und jetzt …«

Miriam schwieg, während ihr die Tränen übers Gesicht liefen.

»Na ja, wenn du es dir doch noch anders überlegst«, sagte Tonyas Mutter fröhlich, »dann kannst du hinterher immer noch mit den anderen zu uns kommen.«

»Genau«, sagte Beth. »Und dann gehen wir morgen alle zusammen in die Stadt.«

»Zum Essen«, fügte Tonya hinzu.

»Und wir gehen ins Kino«, sagte Debra, um die Stimmung weiter aufzuheitern.

Und es funktionierte. Vier Mädchen auf dem Weg zu einem ausgelassenen Abend, die fröhlich schnatternd Pläne für die letzte Ferienwoche machten. Nicht ahnend, dass jemand gleichzeitig ganz andere Pläne schmiedete.

Es war das Foto, das mich auf die Idee gebracht hat. Jedenfalls glaube ich das. Da war es, ganz oben auf der Titelseite, oberhalb des Artikels über die letzte Porno-Gerichtsverhandlung. Das Heile-Welt-Bild, das die Aufmerksamkeit von dem ganzen Schmutz und Dreck ablenken sollte.

Es war ein gutes Foto. Sehr gut sogar. All diese klugen Mädchen. Die hübschen Mädchen. Und natürlich sie, Debra Cardew, die Tochter der Chefredakteurin. Ganz vorne im Bild.

Die besten Prüfungsergebnisse aller Zeiten, verkündete der dazugehörige Artikel. 85 Prozent der Schüler hatten fünf

Fächer mit A, B oder C abgeschlossen. 13 der Jugendlichen hatten nur As. Omar Choudhray hatte eines der landesweit fünf besten Ergebnisse in Mathe, hieß es weiter in dem Artikel. Und wo war er zu sehen? Ganz hinten! Mit diesem anderen Jungen. Versteckt hinter einem halben Dutzend Mädchen. Weil es das ist, was die Leute in der Zeitung sehen wollen. Etwas fürs Auge. Kurze Röcke und enge Tops.

Sie sieht so selbstzufrieden aus, diese Debra. Eingebildet. So wie der ganze Rest der Familie. Mit ihrem hübsch ordentlichen, perfekten Leben. Sie kommen sich so toll vor. So überlegen. Meinen, sie könnten auf alle anderen herabsehen.

Nun ja, das hat mich jedenfalls auf eine Idee gebracht. Bestimmt sind Mummy und Daddy mehr als stolz auf Debra. Und wenn ihr etwas zustieße … das würde ihnen bestimmt ganz schön zusetzen.

Ich meine nur … Was wäre, wenn …

Die Mädchen drängelten sich an der umlagerten Bar vorbei ins Nebenzimmer, wo die Party stattfand. Es war ungewöhnlich heiß für Ende August und die Luft im Pub war bereits stickig und schwer vom Zigarettenrauch. Debra blinzelte durch den Dunst und ließ den Blick über die Tische und die kleine Tanzfläche schweifen auf der Suche nach Marc. Er war nicht da.

»Hier drinnen kriegen wir nie was zu trinken«, sagte Beth mit einem Blick auf die Menge vor der winzigen Bar in der Ecke. »Da haben wir draußen bessere Chancen. Was wollt ihr haben?«

Debra wollte vor allem nach Marc Ausschau halten, deswegen folgte sie Beth und behielt dabei den Eingang im

Auge, während Beth versuchte, den Blick des Barmanns zu erhaschen.

»Oh nein«, sagte Debra, als drei Leute das Pub betraten. »Beth, bist du schon dran?«

»Fast, warum?«

»Da kommt das Super-Ekel«, zischte Debra. »Loris Ex. Oh, Scheiße. Zu spät. Er kommt zu uns rüber … Hi, Stefan.«

»Hallo, Debra. Wie geht's? Hab dein Gesicht in der Zeitung gesehen. Lauter As, genau wie Lori, stimmt's?«

Fünf Sekunden, dachte Debra. Er hatte fünf Sekunden gebraucht, um die Sprache auf Lori zu bringen. Er ließ langsam nach. Normalerweise gelang es ihm schon in weniger als drei.

»Wie geht es ihr?«, fragte Stefan mit dem traurigen Gesichtsausdruck eines verlassenen Hundes.

»Ungefähr genauso wie letzte Woche, als du mich das gefragt hast«, sagte Debra.

»Ist sie noch immer zu Hause?«

»Ja. Vielleicht fährt sie Anfang September noch mal für eine Woche oder so weg, bevor sie zurück an die Uni geht. Kommt ganz drauf an, wie viel Geld sie bis dahin gespart hat.«

Huch. Kleiner Fehler. Debra wusste genau, welche Frage jetzt kommen würde.

»Weg? Wohin denn?«

»Äh, weiß nicht. Sie wird so eins von diesen Last-Minute-Angeboten buchen, vermute ich.«

»Schon okay«, sagte Stefan mit einem Lächeln. »Ich hatte nicht vor, sie zu verfolgen oder so! Ich bin jetzt drüber weg. Vollkommen. Wie Lori immer sagt, das Leben geht weiter, nicht wahr?«

»Genau«, sagte Debra und nahm Beth ein paar Gläser aus der Hand.

»Ich meine, früher oder später wäre es sowieso passiert«, sagte Stefan. »Wegen deinem Dad. Er konnte mich noch nie leiden, stimmt's? Ich meine, deswegen hat Lori doch vermutlich mit mir Schluss gemacht. Weil dein Dad sich nicht beruhigen konnte wegen der Sache mit dem Kiffen.«

»Ja, da hast du wahrscheinlich recht«, sagte Debra.

Ihr Vater war wirklich fast ausgeflippt, als er Lori und Stefan dabei erwischt hatte, wie sie in der Garage gekifft hatten. Er war ewig darauf herumgeritten und hatte gedroht, die Polizei zu verständigen, falls es noch einmal vorkam. Natürlich gab er Stefan die Schuld. Und damit lag er auch vollkommen richtig, denn Lori rührte Drogen normalerweise nicht an. Und wenn Stefan glauben wollte, dass Lori nur deswegen mit ihm Schluss gemacht hatte, damit ihr Dad endlich Ruhe gab, warum sollte ihm Debra dann widersprechen?

»Richte Lori aus, dass ich mich nach ihr erkundigt habe, okay?«, sagte Stefan und schlappte davon.

Das glaubst auch nur du, dachte Debra.

»Klingt ja nicht gerade so, als wäre er darüber hinweg«, bemerkte Beth auf dem Weg zurück in den Partyraum. »Dabei sind die beiden doch schon seit einer Ewigkeit getrennt, oder?«

»Über ein Jahr«, sagte Debra. »Sie haben sich getrennt, kurz bevor Lori mit der Uni angefangen hat. Sie wollte sich nicht so binden. Die Sache mit Stefan war sowieso nie so ernst. Jedenfalls nicht für Lori.«

»Er sieht gut aus«, meinte Beth und folgte ihm mit den Augen. »Total durchtrainiert.«

»Ja«, sagte Debra. »Aber er ist ein bisschen durchgeknallt.

Ziemlich eifersüchtig. Er mochte es nicht, wenn sie sich mit anderen Freunden getroffen hat und so. Lori hat das immer auf die leichte Schulter genommen«, fügte sie noch hinzu und schauderte. »Aber ich fand es immer ein bisschen unheimlich. Ich war froh, als sie mit ihm Schluss gemacht hat.«

Sie reichten Tonya und Miriam ihre Drinks. Fünf Minuten später war Miriams Glas bereits leer und sie war auf dem Weg zurück an die Bar. Eine Stunde später hatte sie bereits sechs Gläser intus (ihre Freundinnen dagegen nur zwei) und war ganz glücklich mit Omar am Rande der Tanzfläche zugange.

»Es ist so heiß hier drin«, sagte Debra. »Ich glaube, ich gehe mal kurz raus.«

»Zum fünften Mal heute Abend!«, sagte Beth. »Er kommt trotzdem nicht, ganz egal wie oft du nach ihm Ausschau hältst.«

»Zwei Mal«, sagte Debra. »Ich war zwei Mal draußen. Weil mir heiß ist, nicht weil ich nach Marc Ausschau halte. Und du musst ja nicht mitkommen. Ich brauche keinen Aufpasser.«

Sie ging an der Bar vorbei nach draußen. Dabei bemerkte sie den Mann nicht einmal, der in der Ecke saß und sie beobachtete. Der Mann stellte sein Glas ab und machte sich bereit, ihr zu folgen.

Ich gebe zu, dass es zu Beginn nur ein Hirngespinst war. Ein angenehmer kleiner Tagtraum. Debra Cardew vermisst. Wie das mit Teenagern manchmal so ist. Hat sie vielleicht dem Druck nicht mehr standgehalten, immer so verdammt perfekt sein zu müssen? Ist sie abgehauen? Hat sie sich etwas angetan? Hat sie mit irgendeinem fiesen Typen im Internet Mails ausgetauscht? Hat sie sich mit ihm getroffen?

Ist sie entführt worden? War es jemand, den sie kannte? Oder irgendein Verrückter, der ganz zufällig zugeschlagen hat? Ist sie tot oder besteht noch Hoffnung?

Nichts zu wissen. Das würde die Familie verrückt machen. Ich konnte es schon vor mir sehen, wie sie im Fernsehen darum bettelten, dass Debra nach Hause zurückkehrte.

»Es gibt keinen Ärger, Debra. Melde dich einfach und komm nach Hause.«

Aber dazu würde sie nicht in der Lage sein, nicht wahr?

Dann fing ich an nachzudenken. Es wäre eigentlich gar nicht so schwer. Wenn man eine Gelegenheit abwartete, wo sie alleine nach Hause ging. Vielleicht wenn sie ein bisschen zu viel getrunken hatte. Oder wenn man ihr vielleicht etwas in ihr Getränk gemischt hatte …

Das Zeug dazu zu bekommen, ist nicht schwer. Nicht einmal in einer eher kleinen Stadt wie dieser. Nicht wenn man weiß, wo man danach suchen soll. Man kann es sich sogar verschreiben lassen. Wenn man Schlafstörungen hat.

Und so habe ich angefangen, darüber nachzudenken, das eine oder andere vorzubereiten, nicht wahr? Ich hatte es ja nicht eilig. Vielleicht würde ich auch gar nichts machen. Die Idee war verrückt. Vollkommen verrückt. Das war mir klar.

Aber nachdem mir die Idee erst einmal gekommen war, wurde ich den Gedanken daran einfach nicht mehr los. Außerdem konnte es ja nicht schaden, darüber nachzudenken, oder? Sie zu beobachten. Auf eine Gelegenheit zu warten.

In dem Moment, als Debra aus dem Pub trat, schoss der Wagen von Marcs Bruder auf den Parkplatz. Er war nicht zu verkennen mit seiner hellgrünen Metalliclackierung und den schwarzen Streifen. Er kam sich wohl wie ein Junior-

Rennfahrer vor, dieser Dean Cavendish. Angeblich war er schon viel ruhiger geworden, nachdem er vor ein paar Jahren von der Schule geflogen war. Er hatte eine Art »Deagressionstherapie« hinter sich und hatte eine Schreinerlehre begonnen, die ihm viel Spaß machte. Aber er benahm sich noch immer wie ein Vollidiot, sobald er hinter dem Steuer eines Autos saß.

Da vor dem Pub keine Parkplätze mehr frei waren, wendete der Wagen bald, und Debra versuchte zu erkennen, ob Marc auf dem Beifahrersitz saß. Das war nicht der Fall. Als der Wagen auf dem Weg hinters Haus an ihr vorbeirauschte, konnte sie sehen, dass nur eine Person darin saß. Der Fahrer. Und der Fahrer war Marc.

»Scheiße!«, sagte Debra.

Wo zum Teufel war Dean? Nie im Leben würde er jemand anderem sein Auto überlassen. Und schon gar nicht einem jugendlichen Fahrer ohne Führerschein und Versicherung. Marc musste ihn einfach genommen haben! Er war verrückt. Vollkommen verrückt.

Außerdem hatte er getrunken. Das war offensichtlich, sobald er um die Ecke bog und zu ihr gerannt kam.

»Hey, Debra!«, sagte er, packte sie und küsste sie.

»Marc«, brachte sie mühsam hervor, nachdem er sie endlich losgelassen hatte. »Was soll das?«

»Warum? Gefällt es dir etwa nicht?«, sagte er und versuchte noch einmal, sie zu küssen.

Es gefiel ihr. Viel zu gut sogar. Nur bei Marc verspürte sie gleich dieses Wohlgefühl, aber sie widerstand der Versuchung, sich ihm in die Arme zu werfen.

»Das meine ich nicht«, sagte Debra und schob ihn sanft beiseite. »Ich meine das Auto!«

»Was für ein Auto?«, fragte er grinsend.

»Das Auto, mit dem du hergefahren bist, Marc! Deans Auto.«

»Bist du etwa schon besoffen, Debra?« Ich bin mit keinem Auto gefahren. Dean ist gefahren. Er hat mich mitgenommen.«

Debra starrte ihn einen Augenblick lang an und zweifelte an ihrer eigenen Zurechnungsfähigkeit. Marc war wirklich ein guter Lügner. Echt professionell.

»Und wo steckt er jetzt?«, fragte sie.

»Der sitzt noch im Auto und fummelt an seiner Stereoanlage rum. Kannst ja selbst nachsehen, wenn du mir nicht glaubst.«

Er beugte sich vor und küsste sie noch einmal, bevor er lässig das Pub betrat. Debra überlegte, ob sie zurückgehen und nachsehen sollte. Aber sie wusste, dass das nicht notwendig war. Seine Unschuldsmiene und sein ernsthafter Tonfall bedeuteten gar nichts. Das hatte sie schon zu oft erlebt, um noch darauf hereinzufallen. Marc hatte das Auto gefahren. Da war sie sich sicher. Und sie durfte auf keinen Fall zulassen, dass er noch einmal damit fuhr. Irgendwie musste es ihr gelingen, ihm die Schlüssel abzunehmen.

Sie machte kehrt und wollte ihm ins Pub hinein folgen, aber in dem Moment, als sie durch die Tür trat, wurde sie gepackt und zurück nach draußen gezogen.

»Wo zum Teufel steckt Debra eigentlich?«, fragte Beth.

»Keine Ahnung, aber Marc ist gerade reingekommen. Wir können ihn ja fragen, ob er sie gesehen hat«, schlug Tonya vor.

»Ja, sie war draußen«, sagte Marc. »Ich dachte eigentlich,

sie würde mit mir reinkommen, aber als ich mich umgedreht habe, war sie wieder auf dem Weg nach draußen mit irgend so einem Typen.«

»Mit wem?«, fragte Beth. »Was war das für ein Typ?«

»Woher soll ich das denn wissen? War so ein älterer Kerl, glaube ich. Sah irgendwie verwahrlost aus.«

Beth und Tonya schoben sich an ihm vorbei durch das Gedränge an der Bar. Noch bevor sie nach draußen kamen, hörten sie das Geschrei.

»Eine schriftliche Abmahnung! Deinetwegen habe ich jetzt eine schriftliche Abmahnung bekommen. Warum hast du das getan, Debra? Warum musstest du es ihr erzählen? Ich war ja noch nicht mal betrunken!«

»Ich hab's dir doch schon gesagt, Tim, ich habe meiner Mutter nichts erzählt«, sagte Debra, als Beth und Tonya neben ihr auftauchten. »Sie hat mich gefragt, und ich habe gesagt, dass mit dir alles in Ordnung war. Echt!«

»Also irgendjemand hat jedenfalls was gesagt! Jemand hat ihr gesagt, ich sei betrunken an deiner Schule aufgetaucht.«

»Das hätte jeder sein können«, bemerkte Beth ruhig. »Schließlich waren jede Menge Lehrer da. Und es war ziemlich offensichtlich!«

»Wer hat dich um deine Meinung gebeten? Das hier geht nur Debra und mich etwas an.«

»Nein, tut es nicht«, sagte Beth. »Mit ihr hat es gar nichts zu tun. Sie kommt jetzt mit nach drinnen. Komm mit, Debra.«

»Ist schon in Ordnung«, sagte Debra. »Woher wusstest du, dass ich heute Abend hier sein würde, Tim?«

»Das wusste ich gar nicht«, sagte Tim. »Ich hab hier nur was getrunken und hab dich reinkommen sehen. Du glaubst doch nicht etwa, dass ich dir aufgelauert hätte oder so?«

»Red keinen Unsinn«, sagte Debra. »Natürlich nicht. Und was passiert ist, tut mir leid, aber ich war's nicht. Ich habe nichts gesagt, ich schwör's.«

»Ja«, sagte Tim. »Tut mir auch leid. Es ist nicht deine Schuld, Debra. Du kannst ja nichts dafür, dass deine Mutter so eine dumme Kuh ist. Du hättest hören sollen, wie sie mich zur Schnecke gemacht hat. Als wäre ich ein dummer Schuljunge oder so.«

Es ließ sich an einen der Tische draußen fallen und stützte den Kopf in die Hände.

»Sie weiß ja nicht, wie es ist«, murmelte er vor sich hin, »wenn man jemanden verliert. Sie hat keine Ahnung.«

»Das hat sie schon«, sagte Debra, während Beth versuchte, sie fortzuziehen. »Du weißt genau, dass sie versucht hat, dir zu helfen. Aber du lässt sie ja nicht. Was ist denn mit dem Arzt, zu dem sie dich schicken will?«

»Arzt!«, sagte Tim, hob den Kopf und schaute sie alle aus blutunterlaufenen Augen an. »Ärzte! Was wissen die denn schon? Was haben sie für Evie getan? Haben sie sechs Monate auf den Termin beim Spezialisten warten lassen. Bis es zu spät war. Sie haben sie umgebracht. Weißt du, wie es ist, wenn man zusehen muss, wie jemand so stirbt? Nein, natürlich weißt du das nicht. Aber sie werden für ihre verdammte Unfähigkeit bezahlen. Ich werde sie verklagen. Sie werden nicht einfach so davonkommen.«

»Komm mit rein«, sagte Beth, als Tim den Kopf wieder in die Hände sinken ließ. »Du kannst da sowieso nichts machen.«

»Ja, das stimmt«, sagte Tim und stand unsicher auf. »Geh zurück zu deiner Party, Debra. Vergnüge dich. Solange du es noch kannst. Ich gehe nach Hause.«

»Wer war Evie?«, fragte Tonya, als die Mädchen nach drinnen gingen. »Seine Frau?«

»Na ja, seine Lebensgefährtin«, sagte Debra. »Sie wollten heiraten, glaube ich. Aber sie ist im letzten März gestorben. Sie hatte Krebs.«

Sie erzählte ihnen nicht die ganze Geschichte. Das war Tims Angelegenheit. Es war privat. Und sie verspürte eine seltsame Verbundenheit mit Tim. Von allen Leuten bei der Zeitung war er immer derjenige gewesen, der besonders nett zu ihr gewesen war, sich um sie gekümmert und mit ihr geredet hatte, wenn sie im Büro auf ihre Mutter warten musste. Er mochte Kinder, hatte ihre Mutter gesagt, auch wenn er selbst keine hatte.

Debra blieb stehen und ließ Beth und Tonya den Weg durch die Menge bahnen. Es schien nicht gerecht zu sein, wie das Leben manchen Menschen einfach ohne Grund ein Schicksal auferlegte. Tims Frau war bei einem Autounfall ums Leben gekommen, Jahre bevor er angefangen hatte, für die Zeitung zu arbeiten. Aber er hatte sie offenbar sehr geliebt, denn ihr Bild stand noch immer auf seinem Schreibtisch.

Es gab durchaus die eine oder andere Frau bei der Zeitung, die sich für Tim interessierte, hatte ihre Mutter erzählt. Aber er war nie bereit gewesen, eine neue Beziehung einzugehen. Lange nicht. Bis er dann eines Tages Evie getroffen hatte. Und als es dann schließlich ernst wurde zwischen den beiden, wurde Evie krank.

Letzten Endes war es aber nicht der Krebs, an dem sie gestorben war, sondern sie hatte im Endstadium eine Überdosis genommen. Und da war noch etwas. Etwas, das Tom entschlüpft war, als sie ihn einmal samstags in stockbetrunkenem Zustand in der Stadt getroffen hatte. Etwas, das sie nie jemandem erzählt hatte. Aber vielleicht hätte sie das bei näherer Betrachtung doch tun sollen. Vielleicht war das keine Sache, die Tim alleine durchstehen konnte.

»Hey, Debra«, jammerte es neben ihr, als sie gerade zur Party zurückkehren wollte. »Würdest du diesen Brief bitte Lori geben?«

»Nein, Stefan, das werde ich ganz sicher nicht«, sagte Debra. »Lass sie einfach in Frieden, es ist aus.«

»Zicke!«, brüllte Stefan, sodass eine Gruppe von Frauen sich umdrehte und zu ihnen herüberstarrte.

Eine von ihnen musterte Debra einen Augenblick lang, als wäre es Debras Schuld, dass Stefan vor sich hin schimpfte und fluchte. Das Gesicht der Frau kam ihr irgendwie bekannt vor. Hoffentlich keine von Mums Bekannten, die sie verraten konnte, dachte Debra.

»Schaut euch nur diese Mädchen an«, murmelte die Frau ihrer Freundin zu. »Halb nackt und geschminkt bis zum Abwinken!«

»Komm jetzt«, sagte Beth und packte Debra an der Hand. »Safira hat gesagt, dass Miriam kotzend im Klo rumhängt. Lasst uns nachsehen, ob wir ihr helfen können. Moment mal, ich dachte, er wollte gehen?!«

Debra wandte sich noch einmal um und sah, dass Tim wieder zurück ins Pub kam. Sie machte sich Sorgen um ihn und überlegte, ob sie einfach zu ihm zurückgehen und mit ihm reden sollte, aber Beth zog sie zur Party zurück.

In der Ecke bei dem engen Flur, der zum Damenklo führte, erhaschte Debra einen Blick auf Marc. Er hatte den Kopf an Amy Parkers Brust vergraben und seine Hand war unter ihren Rock gekrochen. Ausgerechnet Amy Parker!

»Mir reicht's«, verkündete Debra. »Ich gehe nach Hause.«

Kapitel 3

»Mir geht's jetzt wieder gut«, sagte Miriam und kippte noch ein Glas hinunter. »Lasst mich in Ruhe. Ich will tanzen.«

Sie ging ein paar Schritte, nur um sogleich mit Debra und Beth zusammenzustoßen und, kreischend vor Lachen, hinzufallen. Debra seufzte. Beth hatte sie überredet, doch nicht nach Hause zu gehen, aber man konnte nicht gerade behaupten, dass sie sich gut amüsierte. Insbesondere in der letzten halben Stunde, die sie damit verbracht hatte, im Damenklo hinter Miriam herzuputzen. Na ja, wenigstens war Miriam jetzt glücklich, dachte Debra, während sie ihr wieder aufhalf. Dass Miriam einmal lachte, war in der letzten Zeit zu einer Seltenheit geworden.

»Nun ist es gut«, sagte ein Mann Mitte zwanzig, dessen Klamotten aussahen, als gehörten sie einer weit älteren Person, und der zu ihnen herübergeschlendert kam. »Ich bringe sie nach Hause.«

»Will nicht heimgehen, Eddie«, sagte Miriam. »Hab's mir anders überlegt. Ich schlafe bei Tonya. Mit meinen Freundinnen.«

Miriam hakte sich bei Beth und Debra ein und fing an zu kichern. Debra bemerkte, dass die Leute begannen, zu ihnen herüberzuschauen. Miriams wegen? Wohl kaum. Hier waren viele in weit schlimmerem Zustand, als sie es war. Viel wahrscheinlicher war, dass sie sich nach Eddie umdrehten. Er warf allen einen bösen Blick zu und wandte sich dann ab.

Debra kannte Eddie Wilcox nicht besonders gut. Eigentlich fast gar nicht. Nicht viele kannten ihn. Eddie hatte eine private Jungenschule besucht, bevor er an die Uni gegangen war. Dann war er einige Zeit auf Reisen gewesen, hatte Miriam gesagt, bevor er vor etwa anderthalb Jahren angefangen hatte, in der Immobilienfirma seines Vaters mitzuarbeiten. Er wirkte ziemlich ruhig. Unauffällig. Ein Typ, der ganz mit seiner Umgebung zu verschmelzen schien. Deswegen hätte ihn bis vor Kurzem niemand erkannt. Aber jetzt war alles anders. Wegen der Sache mit seinem Vater.

»Komm schon, Miriam«, sagte Eddie ruhig und geduldig. »Lass dich von mir nach Hause bringen.«

Er war kleiner als Miriam. Hatte dunkle Haare. Ein klein wenig übergewichtig. Sie hatten ihre Gene ganz offenbar aus verschiedenen Zweigen der Familie, dachte Debra. Wenn man von den grünen Augen absah. Miriams leuchteten jetzt hell und temperamentvoll, während Eddies müde und leer wirkten.

»Ich komme nicht mit«, sagte Miriam und hechtete in Richtung von Omar Choudray. »Will tanzen.«

Eddie zuckte nur die Schultern, während Omar Miriam auffing und sie in Richtung Tanzfläche bugsierte.

»Ich kann sie nicht dazu zwingen, mitzukommen«, sagte Eddie. »Aber passt ihr bitte auf sie auf? Dass sie gut nach Hause kommt?«

»Klar doch«, sagte Beth.

»Na dann«, meinte Eddie. »Ich warte noch eine halbe

Stunde oder so in der Bar vorne, falls sie ihre Meinung ändert.«

»Beth, meine Liebste!«, brüllte jemand, und alle richteten ihre Aufmerksamkeit auf die Tanzfläche.

Benny, der Klassenclown, war auf die Knie gesunken und schlitterte so mit ausgestreckten Händen auf sie zu.

»Komm und tanz mit mir!«, bettelte er.

»Idiot«, sagte Beth grinsend und zog ihn hoch.

Dann ging sie mit ihm weg. Debra blieb alleine zurück und schaute ihr hinterher, während sie überlegte, ob sie sich zu Tonya und den anderen Mädchen gesellen sollte, die sich in der Mitte des Raumes versammelt hatten. Sie wollte sich gerade in Bewegung setzen, als sich von hinten Arme um ihre Taille schlangen und ein warmer Mund anfing, an ihrem Ohr herumzuknabbern.

»Wer bin ich?«, flüsterte Marc.

Debra wand sich aus seiner Umarmung und drehte sich zu ihm um.

»Du siehst toll aus heute Abend, Debra«, sagte er. »Zum Anbeißen!«

»Und wo ist Amy?«, fragte sie. Ihr war klar, dass Marcs Worte und seine Küsse nicht viel zu bedeuten hatten.

»Auf dem Klo«, sagte Marc und zog sie näher zu sich. »Gott sei Dank. Ich konnte gar nicht von ihr loskommen. Sie hat mich gepackt, sobald ich hier zur Tür hereingekommen bin.«

»Und dann hat sie dich vermutlich gezwungen, die Hand unter ihren Rock zu stecken«, bemerkte Debra schnippisch.

Er grinste nur anstelle einer Antwort, und bevor Debra ihn daran hindern konnte, küsste er sie wieder. Sein Atem roch nach Bier, was sie daran erinnerte, dass sie noch etwas zu erledigen hatte. Sie erwiderte seinen Kuss und fuhr mit der Hand über seinen Rücken zu seiner Jeans hinunter, wo sie die Finger vorsichtig tastend und suchend in die Gesäßtasche gleiten ließ.

»He, was machst du da?«, sagte er und schubste sie von sich, kurz bevor sie die Schlüssel an sich nehmen konnte.

»Nichts«, sagte sie.

»Ich fahre nicht nach Hause, okay?«, sagte Marc und schien seine vorausgegangenen Unschuldsbeteuerungen ganz vergessen zu haben. »Dean hat mir erlaubt herzufahren. Er kommt später mit einem Kumpel vorbei und fährt den Wagen zurück. Also sag bitte keinem etwas davon, ja?«

Debra glaubte ihm kein Wort. Irgendwie musste sie ihm im Verlauf des Abends die Schlüssel abluchsen. Aber vielleicht würde das gar nicht mehr nötig sein, denn nun kam jemand in den Raum gestürmt. Und seinem Gesichtsausdruck zufolge hatte er Marc keineswegs erlaubt, sich das Auto auszuleihen.

»Oh, Scheiße«, sagte Marc, als er Dean bemerkte. »Tut mir leid, Debra. Ich muss jetzt gehen.«

Kopfschüttelnd sah Debra zu, wie Marc versuchte, sich seitwärts aus dem Raum zu verdrücken. Sie sah, wie Dean ihn am Arm packte und ihn gegen die Wand schob. Wenigstens gelang ihm das, womit sie gescheitert war. Er hatte die Schlüssel aus Marcs Hosentasche gezogen.

»Hey, Debra«, rief Tonya zu ihr herüber. »Warum tanzt du gar nicht? Du siehst ja so einsam aus da drüben.«

Ist heute Abend vielleicht der richtige Zeitpunkt? Sollte ich wirklich so schnell schon Glück haben? Jetzt, wo alle betrunken sind. Oder zumindest so tun, als wären sie betrunken.

Debra ist ziemlich viel alleine. Es dürfte also nicht zu schwer sein, sie fortzulocken. So machen sie es doch, die Raubtiere, oder? Sie isolieren ihr Opfer von der Herde. Dann schlagen sie zu.

Der Trick dabei ist, ganz cool zu bleiben.

Aber das ist gar nicht so einfach. Wer weiß, vielleicht kriege ich nie wieder so eine gute Gelegenheit. Es wäre noch einfacher, wenn sie noch etwas mehr getrunken hätte. Oder wenn sie ihr Glas aus den Augen ließe, damit ich der Sache etwas nachhelfen kann. Es ist so voll hier, dass niemand etwas bemerken würde. Solange ich vorsichtig genug bin.

Und wenn es plötzlich ein Problem gibt, dann kann ich mich jederzeit zurückziehen. Und was ist, wenn es keines gibt? Wenn es mir gelingt, sie hier rauszuschmuggeln?

Ich bin nicht sicher. Ich bin nicht sicher, ob ich schon so weit bin. Bin ja noch gar nicht dazu gekommen, mir alles richtig zu überlegen. Bin nicht sicher, ob ich es überhaupt wirklich durchziehen will. Aber wozu hab ich dann das Zeug dabei?

Irgendwie muss ich doch vorgehabt haben, es zu benutzen, oder? Aber nein. Selbst wenn ich sie ganz zugedröhnt kriege, dann schaffe ich es immer noch nicht, sie hier rauszubekommen, ohne dass es jemandem auffällt, oder? Es sei denn …

»Willst du was trinken?«, fragte Marc.

»Lebst du noch?«, sagte Debra. »Wo steckt Dean?«

»Der ist kurz rausgegangen, um nach seinem geliebten Auto zu schauen, aber er wird sich nachher vielleicht noch wundern«, sagte er und hielt Debra dabei einen Schlüssel vor die Nase.

»Marc!«

»Der Ersatzschlüssel«, sagte er. »Wenn der Idiot ihn auch im Handschuhfach aufbewahrt! Aber keine Sorge. Ich fahre nicht bis nach Hause. Ich dachte nur, ich könnte das Auto verstecken und ihn ein bisschen ärgern. Also was ist, willst du was trinken oder nicht?«

»Ja«, sagte Debra. »Ich könnte was vertragen.«

»Aber du musst uns was holen, ich hab nämlich kein Geld mehr«, sagte Marc. Und da Amy Parker geradewegs auf sie zusteuerte, fügte er noch hinzu: »Äh, lass uns doch rübergehen, an die andere Bar.«

Debra ging nur mit, weil sie sich Sorgen um ihn machte, jedenfalls redete sie sich das ein. Sie wollte ihn im Auge behalten, damit er sich nicht doch davonmachte und versuchte, nach Hause zu fahren.

In der Bar waren viele Leute, die sie kannte. Sie winkte einigen von ihnen zu, darunter auch Tim, aber der hielt die Augen fest auf sein Glas gerichtet. Von einem Tisch im Hintergrund, in der Nähe des Fensters, spürte Debra den traurigen Hundeblick von Stefan. Vermutlich versuchte er gerade vergebens sie mittels Magie in Lori zu verwandeln. Dean kam soeben hereingestürmt, und von der Tür, die zum Nebenzimmer führte, starrte sie ein weiteres Augenpaar an, das von Amy Parker.

Debra schauderte plötzlich.

»Alles okay mit dir?«, wollte Marc wissen. Er nahm ihr das Glas aus der Hand und stellte es auf den Tisch neben ihnen.

»Ja, alles bestens«, sagte sie, während er die Arme um sie schlang und anfing, ihre Schultern zu massieren. »Es hat mich einfach nur kurz geschüttelt.«

»Äh, dein Dad hat nicht zufällig was darüber gesagt, was

am Donnerstag in der Schule los war, oder?«, fragte Marc plötzlich und klang ganz klar und nüchtern.

»Na ja, er hat es erwähnt«, sagte Debra.

Das hatte er natürlich nicht. Ihr Vater sprach in ihrer Gegenwart so gut wie nie über Schulangelegenheiten. Und schon gar nicht, wenn es dabei um andere Schüler ging. Aber das brauchte Marc ja nicht zu wissen.

»Er meinte, er wäre vielleicht ein bisschen zu weit gegangen mit dir, und wenn du doch für die Oberstufe zurückkommen willst …«

»Oh nein!«, sagte Marc, ließ die Arme fallen und trat einen Schritt zurück. »Meine Mutter sagt auch, dass ich das tun sollte. Und Mr Mason. Aber Dean meint, dass ich lieber abgehen soll. Außerdem hab ich schon einen Platz am College. Da bin ich gestern hingegangen und sie haben mir sofort einen Platz angeboten.«

»Genau wie mir«, sagte Amy, die plötzlich neben ihnen auftauchte und Marc am Arm packte. »Marc geht aufs selbe College wie ich! Schule ist Kinderkram.«

Amy kicherte und Debra fragte sich, was Marc eigentlich an ihr fand. Gleichzeitig rieb Amy an Marcs Bein herum, was ziemlich klar darauf hindeutete, in welchem Bereich ihre Anziehungskraft lag. Marc wehrte sich nicht direkt dagegen.

»Und war Daddy mit seinem Töchterlein zufrieden, Debra?«, spottete Amy, die offenbar darauf aus war, Streit anzufangen. »Für dich gibt es bestimmt keine Probleme, einen Platz in der Oberstufe zu bekommen.«

»Nein«, sagte Debra und wandte sich ab.

Sie hasste Amy Parker. Als Amy in der vierten Klasse an die Junior School gekommen war, war es Debras Aufgabe gewesen, sich um sie zu kümmern. Und das hatte sie getan. Obwohl Amy durch ihr Aufmerksamkeit heischendes Gehabe nicht gerade beliebt gewesen war, hatte Debra dafür gesorgt, dass sie überall mit dabei war und schließlich auch akzeptiert wurde. Daraufhin war Amy viel ruhiger geworden und sie waren Freundinnen geworden. Jedenfalls hatte Debra das geglaubt.

Aber später, in der Senior School, wurde Amy dann in die schwächeren Lerngruppen eingeteilt und suchte sich dort neue Freunde. In der siebten Klasse hatte sie es plötzlich auf Debra abgesehen und machte ihr das Leben schwer. In der Achten wurde es noch schlimmer, da Amys Angriffe auf Debra nun auch körperlicher Natur waren. Sie schubste sie auf dem Flur, oder eine schwere Schultasche landete ganz zufällig in Debras Bauch, wenn gerade keiner hinschaute.

Wer weiß, wie lange das noch so weitergegangen wäre, wenn Lori nicht dazwischengegangen wäre und die Sache geklärt hätte. Aber das war das Problem. Ihre große Schwester hatte die Sache geklärt, nicht Debra selber. Und obwohl Debra gelernt hatte, Amy aus dem Weg zu gehen und sie einfach zu ignorieren, konnte sie doch noch immer nicht wirklich mit ihr fertig werden. Jedenfalls nicht auf Amys Ebene.

»Ich hab dein Foto in *Mummys* Zeitung gesehen«, bemerkte Amy. »War gar nicht so schlecht. Du sahst nicht mal sooo fett darauf aus. Und der Pickel an deinem Hals war kaum zu sehen. Oder ist der neu? Der sieht so total rot aus, Debra. Du solltest da was draufmachen.«

»Na ja«, meinte Debra. »Wenigstens lässt sich mein Problem mit ein bisschen Creme beheben.«

»Was meinst du damit?«, fragte Amy.

Debra wollte sich abwenden. Es tat ihr bereits leid, dass sie sich in diesen Streit hatte verwickeln lassen.

»Na komm schon, du eingebildete Zicke«, sagte Amy und ließ Marc los, um Debra am Arm zu packen. »Was meinst du damit?«

Und Debra sagte es ihr.

Es war einfach genial. Sobald die beiden erst einmal dabei waren, sich gegenseitig anzufauchen und anzuzicken, war Schritt eins ganz einfach: etwas in Debras Glas zu schmuggeln. Weil eine ganze Menge Leute etwas näher gerückt war. Ein paar sind sogar von der Party rübergekommen und haben einen Halbkreis gebildet, haben sich angegrinst und abgewartet, wie ernst die Sache wohl werden würde. Ob die Fingernägel zum Einsatz kommen würden?

Hoffentlich nicht, denn das würde ja alles verderben. Wenn Debra aus dem Pub rausgeschmissen würde, noch bevor sie ihr Glas austrinken konnte. Und fast wäre es so weit gekommen. Sie legte es wirklich darauf an. Man sollte nicht glauben, dass ein Mädchen wie Debra all diese Wörter kennt.

»Und weißt du was, Amy?«, sagte sie schließlich. »Du und Marc, ihr passt genau zueinander. Du kannst ihn haben.«

»Ohhh«, sagte Amy, während Debra ihr Glas nahm, sich einen Weg durch die Menge bahnte und davonmarschierte.

Total nachlässig, oder? Man erklärt den Mädels doch immer wieder, sie sollen ihr Glas nicht abstellen. Es nicht einfach so herumstehen lassen. Aber die meisten kümmern sich nicht darum. Sie glauben einfach nicht, dass es ihnen passieren könnte. Die Leute hier sind einfach zu vertrauensselig. Ich meine, hier liegen überall Jacken und Taschen herum.

Ein Paradies für Taschendiebe. Was mich auf einen Gedanken bringt. Ein kleiner Zeitvertreib, während ich warte.

Ansonsten kommt es jetzt nur darauf an, die Ruhe zu bewahren. Nicht aufzufallen. Erst einmal wird nichts weiter passieren. Obwohl, man weiß nie. Ich hab gleich zwei reingetan, um ganz sicherzugehen. Aber es kommt darauf an, wie viel sie schon getrunken hat. Und was sie gegessen hat. In welcher Stimmung sie ist. Halbe Stunde vielleicht, bis sich die erste Wirkung zeigt. Und in einer Stunde oder so ist sie dann langsam ganz hinüber.

Ich darf nicht nervös werden. Oder unvorsichtig. Tausend Dinge können passieren. Und ich wage nicht, etwas zu unternehmen, wenn es nicht ganz sicher ist. Vollkommen sicher.

Vielleicht sollte ich ein Weilchen verschwinden und dabei irgendwie auffallen. Sodass jemand sieht, dass ich nach Hause gehe. Und dann komme ich unbemerkt wieder zurück. Oder vielleicht wäre es besser, einfach dazubleiben. Mit Leuten zu reden. Herumzugehen. Das Nebenzimmer wird jetzt immer voller. Viele Leute gehen von der Bar dorthinüber. Es dürfte nicht zu schwer sein, sie im Auge zu behalten. Aus der Ferne. Abwarten, bis sich die erste Wirkung zeigt, und hoffen, dass ihre Freundinnen es nicht vor mir mitkriegen.

»Ich hab dir noch was zu trinken geholt«, sagte Tonya. »Du hast es verdient, so wie du es Amy gegeben hast. Es war genial! Ich habe Amy noch nie sprachlos gesehen. Schade, dass Beth es nicht miterlebt hat. Sie ist schon wieder mit Miriam auf dem Klo.«

»Danke«, sagte Debra, kippte den Rest in ihrem Glas

hinunter und griff dann nach der Flasche, die Tonya ihr reichte. »Wie viel Uhr ist es?«

»Kurz vor elf.«

»Schon elf?«, sagte Debra. »Und ich hatte noch nicht einmal Zeit zu tanzen! Komm mit.«

»Alles okay bei dir?«, fragte Tonya auf dem Weg zur Tanzfläche.

»Ja, warum?«

»Ich meinte, wegen Marc.«

»Ja, ich glaube schon«, sagte Debra.

»Hast du gehört, was er vorhin mit Benny gelabert hat? Wegen deinem Dad? Er meinte, dein Dad hätte es auf ihn abgesehen. Nur wegen der Sache mit Dean und …«

»Nein«, sagte Debra. »Erzähl mir nichts. Ich kann es nicht mehr hören. Es ist mir egal. Ich will es nicht wissen.«

Überrascht stellte sie fest, dass es ihr tatsächlich egal war. Vollkommen egal. Wenn Marc unbedingt aufs College gehen wollte, bitte. Sollte er doch Deans Wagen verstecken oder damit nach Hause fahren. Sollte er sich doch umbringen. Was ging es sie an? Sie fühlte sich gut. Sie wollte sich jetzt amüsieren. Genau wie alle anderen und genau so, wie es sein sollte, wenn man auf einer Party war.

Die Party hatte sich offenbar herumgesprochen. Abgesehen von allen aus der Elften, waren auch eine Gruppe von Mädchen der Zehnten erschienen und ein gutes Dutzend aus der Oberstufe. Und noch ein paar Ehemalige. Sogar einige von den jüngeren Lehrern – Miss Lewis, Mr Khan und Allan Mason, die allesamt wohlwollend über den unerlaubten Alkoholkonsum der Minderjährigen hinwegsahen. Ihr Vater würde ausflippen, wenn er das wüsste, dachte Debra.

Mr Mason lächelte ihr zu. Aber es war kein freundliches

Lächeln. Es war genau dasselbe überhebliche Lächeln, das er auch im Geschichtsunterricht aufsetzte, bevor er irgendeine sarkastische Bemerkung ihr gegenüber machte. So war Mr Mason eben. Entweder mochte er dich oder er mochte dich nicht. Debra wusste nicht genau, was er eigentlich gegen sie hatte. Vermutlich war es wegen ihres Vaters. Es hatte am Donnerstag noch einen Zusammenstoß zwischen den beiden gegeben, bei dem es um Marc ging. Sie hatte gehört, wie ihr Vater ihrer Mutter davon erzählt hatte.

»Drei Jahre!«, hatte er gesagt. »Seit drei Jahren unterrichtet Allan jetzt und meint, er wüsste alles!«

Ihr Vater hatte noch viel mehr gesagt, aber darüber wollte sie jetzt nicht nachdenken. Sie war hier, um zu feiern, und bisher war sie nur damit beschäftigt gewesen, über die Probleme anderer nachzudenken.

»Vorsicht«, sagte Tonya, als Debra immer wilder tanzte. »Jetzt hättest du mich gerade fast erwischt.«

»Mir doch egal!«, sagte Debra und tanzte in eine andere Richtung. »Ich hab meinen Spaß.«

Außerdem zog sie die Aufmerksamkeit auf sich. Nicht zuletzt die von drei Jungs aus der Oberstufe, die an der Wand lehnten und ihr zusahen. Einer von ihnen lächelte ihr zu und wartete auf ihre Reaktion. Er sah nicht besonders gut aus. Anders als Marc. Aber er hatte hübsche Augen. Sie lächelte zurück und lockte ihn damit zu sich her.

»Ist es okay, wenn ich mitmache?«, fragte er und bewegte sich ungelenk gegen den Takt der Musik.

Nicht gerade ein Naturtalent.

»Simon«, sagte er. »Wir waren letztes Jahr beide auf der Parisfahrt dabei. Erinnerst du dich?«

Debra erinnerte sich nicht. Paris war ihr vor allem als der

Ort im Gedächtnis geblieben, an dem sie mit Marc zusammengekommen war. Aber sie lächelte und nickte trotzdem.

»Hat denn dein Freund nichts dagegen, wenn ich mit dir tanze?«, fragte er.

»Hab keinen Freund«, sagte sie.

»Gut«, meinte Simon und ergriff beim Tanzen ihre Hände. »Das ist gut.«

Es war wirklich gut. Vielleicht würde es doch noch ein gelungener Abend werden. Simon war nett, irgendwie witzig. Und süß. Er meinte, er hätte sie schon ganz lange ansprechen wollen. Er hatte nur gedacht, er hätte keine Chance. Nicht bei einem Mädchen, das so hübsch und so beliebt war wie sie. Und nicht solange Marc Cavendish im Spiel war.

Simon sagte noch etwas, doch sie konnte nicht verstehen, was es war. Seine Stimme klang irgendwie verzerrt. Wurde lauter und leiser wie bei einem kaputten Radio. Auch sein Gesicht sah komisch aus. Irgendwie ganz verschwommen und unscharf. Und ihre Kopfschmerzen wurden immer stärker. Sie hatte sie zunächst gar nicht bemerkt. Es hatte mit einem sanften Pochen im Takt der Musik angefangen und war dann immer schlimmer geworden, als auch noch die Lichter dazukamen. Lichtblitze hinter ihren Augen. Oder waren das die Discolichter? Sie blitzten und wirbelten und machten Muster auf dem Boden, von denen ihr ganz schwindelig wurde. Und übel. Aber sie durfte sich hier nicht übergeben. Nicht vor Marc. Nein, es war ja gar nicht Marc. Es war Simon. Sie tanzte mit Simon.

»Sorry«, sagte sie und entfernte sich, während er verwirrt zurückblieb.

Sie schaffte es, von der Tanzfläche herunterzukommen, und torkelte gegen ein Pärchen, das an der Wand stand.

Jedenfalls dachte sie, es wäre ein Pärchen, aber bei genauerem Hinsehen stellte sie fest, dass es zwei Mädchen waren.

»Miriam hat mir eben auf die Schuhe gekotzt«, sagte Beth. »Oh Debra, nicht du auch noch. Du siehst ja furchtbar aus.«

»Fühl mich sch…reckich«, sagte Debra. »Un …schübel.«

»Ich kümmere mich schnell um Miriam«, sagte Beth, während Debra in Richtung Damenklo stürmte. »Dann komme ich zu dir.«

»Oh Gott«, stöhnte Debra und ließ sich im Kloabteil auf die Knie sinken.

Sie hatte doch nicht so viel getrunken, oder? Sie wusste es nicht. Konnte sich nicht recht erinnern. Sie hatten ein Gläschen Wein getrunken. Vor der Party. Vor der Party bei Tonya. Nein, die Party war ja gar nicht bei Tonya. Sie war in einem Pub und es war nicht besonders toll. Alle waren gemein zu ihr. Und es war nicht ihre Schuld.

Ihr Magen schlug Purzelbäume. Ihr war heiß. Viel zu heiß. Wo war Beth? Beth hatte gesagt, sie würde kommen, aber jetzt kam sie nicht.

Sie hatte durcheinandergetrunken. Das war das Problem. Steh auf. Geh zum Waschbecken. Wo sind die Wasserhähne? Warum lassen sie sich nicht drehen? Andere Art von Hahn. Okay, jetzt kaltes Wasser ins Gesicht. Nicht umkippen. Will zurück. Zu Simon. Netter Simon. Waschbecken will einfach nicht stillhalten. Nicht fair. Bewegt sich ständig. Gesicht ist so komisch. Make-up total verschmiert. Und der Boden bewegt sich. Immer im Kreis herum und herum und herum und … muss hier raus. Muss ins Bett. Mich hinlegen. Beine wollen nicht. Wie dumm. Mum, hilf mir. Mir geht's nicht gut. Mir ist kalt. So kalt. Beth? Mum? Wo sind alle?

Macht doch das Licht aus. Bitte, irgendwer. Licht aus. So ist es besser. Kann jetzt die Tür sehen. Zu schwer. Will nicht aufgehen. Will nicht hier bleiben. Wieder zu heiß. Ziehen. Nein drücken. Übel. Mir ist übel. Und heiß. Kochend. Schlafen. Hinlegen. Einfach nur hinlegen. Luft. So ist es besser. Kalte Luft.

Debra wandte sich nach rechts in Richtung des kalten Luftzugs, nicht nach links zurück zur Party. Sie stolperte auf den Notausgang zu und nach draußen. Genau wie die Person, die die Tür offen gelassen hatte, es sich erhofft hatte.

Kapitel 4

Beth kam aus dem Pub zum Auto von Tonyas Mutter gerannt. Sie hoffte, Debra wäre schon dort und wartete. Aber sie war nicht da.

»Ich kann sie nicht finden«, sagte Beth zu Tonyas Mutter. »Ich kann Debra einfach nirgendwo finden.«

»Sie taucht bestimmt gleich auf«, sagte Tonyas Mutter. »Miriam schaut hinter dem Haus nach ihr. Sie meinte, ein kleiner Spaziergang würde ihr ganz guttun zum Ausnüchtern. Und Tonya ist noch mal zurückgegangen, um im Partyraum nachzuschauen.«

»Aber ich hab doch schon gesagt, da ist sie nicht!«, sagte Beth und versuchte, keine Panik in ihrer Stimme durchklingen zu lassen. »Sie ist nirgends. Und als ich auf ihrem Handy angerufen hab, hat es geklingelt. In ihrer Tasche. Unter einem Tisch.«

»Okay«, sagte Tonyas Mutter und nahm die Tasche entgegen, die Beth ihr hinhielt. »Sie kann also nicht allzu weit weg sein. Nicht wenn ihre Tasche noch da ist. Und jetzt sagst du mir noch einmal genau, wann du sie zuletzt gesehen hast.«

»Ich bin mir nicht sicher«, sagte Beth. »Es ging ihr nicht so gut. Sie ist aufs Klo gegangen, aber bis ich Miriam versorgt hatte, war Debra schon verschwunden. Ich dachte, sie würde wieder tanzen oder so, deswegen hab ich mich nicht weiter drum gekümmert … bis die Leute langsam gegangen sind und ich sie nirgendwo sehen konnte.«

»Also, das ist ja wohl kein großes Rätsel, oder?«, meinte Amy Parker, deren Taxi gerade vorfuhr. »Ich meine, Marc ist auch vor einer Weile verschwunden. Seltsamer Zufall, oder?«

»Sie würde nie einfach so abhauen«, meinte Beth. »Nicht einmal mit Marc. Nicht ohne jemandem Bescheid zu sagen.«

»Ganz wie du meinst«, sagte Amy und stieg in ihr Taxi. »Ich wünschte nur, er würde sich entscheiden, das ist alles. Dieser verlogene Scheißkerl!«

Damit knallte sie die Tür zu und das Taxi fuhr davon. Beth sah, wie Tonya den Kopf schüttelte, als sie zu ihnen zurückkam.

»Keiner hat sie gesehen«, sagte Tonya. »Seit Ewigkeiten nicht. Aber ich habe die Wirtin gebeten, auch noch einmal oben nachzusehen. Falls Debra sich irgendwie nach oben verirrt hat und auf ihrem Bett zusammengebrochen ist oder so.«

Beth warf einen Blick auf die Uhr. Sie hatten sich vor einer halben Stunde treffen wollen. Das war so ganz und gar nicht Debras Art.

»Wir müssen etwas unternehmen«, sagte Beth. »Wir rufen die Polizei.«

»Und dann sehen wir ein bisschen dumm aus, wenn sie nur irgendwo in der Ecke liegt und schläft.«

»Das ist mir egal«, meinte Beth. »Es ist mir egal, wie dumm wir …«

Sie hielt inne, als Miriam schwer atmend um die Ecke gerannt kam. Sie hielt etwas in der Hand.

»Ich habe das hier gefunden«, sagte sie und hielt einen schwarzen Schuh in die Höhe. »Neben dem Notausgang. Ich glaube, der gehört Debra.«

Beth schnappte sich den Schuh und wünschte mit aller Kraft, er möge jemand anderem gehören. Irgendjemandem. Aber so war es nicht. Der Schuh gehörte Debra. Da war sich Beth ganz sicher.

»Es reicht!«, sagte Beth. »Wir rufen die Polizei. Auf der Stelle!«

»Moment mal!«, wandte Tonyas Mutter ein. »Sie könnte ja auch nach Hause gegangen sein.«

»Ohne ihre Tasche?«, meinte Beth. »Mit nur einem Schuh?«

»Vermutlich hat sie beide ausgezogen«, sagte Tonyas Mutter. »Und die Tasche einfach vergessen. Das ist mir auch schon passiert, als ich betrunken war. Ich rufe jetzt einfach bei ihren Eltern an.«

Beth ging nervös auf und ab, während Tonyas Mutter telefonierte. Sie hörte ihre Erklärungsversuche und gemurmelten Entschuldigungen.

»Nein, nicht bei uns zu Hause. Im *Lion*. Ja, genau. Ja, ich wusste Bescheid. Es tut mir leid. Ich sagte, es tut mir leid! Hören Sie, ich bin sicher, dass sich alles in Wohlgefallen auflöst. Wir werden sie finden. Ja, natürlich.«

»Was ist hier los?«, rief der Wirt, der aus dem Pub gelaufen kam. »Jemand hat gesagt, ein Mädchen sei verschwunden? Sie rufen doch jetzt nicht die Polizei, oder?«

»*Ich* nicht«, sagte Tonyas Mutter. »Aber die Mutter des Mädchens ist gerade dabei. Und ihr Vater ist auf dem Weg hierher.«

Der Wirt fluchte vor sich hin, murmelte »Verdammte Gören« und rannte wieder nach drinnen. Wenige Minuten später war er zurück und scheuchte die restlichen Bargäste und Partybesucher aus dem Haus.

»Moment mal«, meinte Beth. »Vielleicht will die Polizei mit den Leuten sprechen?«

»Genau«, blaffte der Wirt. »Das ist es ja gerade, was mir Sorgen bereitet.«

»Und das Verschwinden einer Sechzehnjährigen?«, meinte Tonyas Mutter.

»Die taucht schon wieder auf«, erwiderte der Wirt schulterzuckend. »Sie tauchen alle wieder auf.«

Es war so einfach. So unglaublich einfach. Sie ist mir buchstäblich ohnmächtig in die Arme gesunken. In dem Augenblick, wo sie nach draußen kam. Hat sich nicht einmal umgedreht. Hat nicht gerufen. Schien sich gar nicht darum zu kümmern, wer sie da aufgefangen hat.

All die Pläne, die ich gemacht hatte. Was ich tun oder sagen würde, wenn irgendetwas schiefging ... nun ja, die habe ich gar nicht gebraucht. Ich habe sie einfach hochgehoben und weggetragen. Das war eigentlich das Schwerste. Sie war viel schwerer, als sie aussieht. Wie ein nasser Sack hing sie da.

Einer von ihren Schuhen ist runtergefallen, aber das machte nichts. Ich hatte jedenfalls keine Zeit, anzuhalten. Ich musste sie wegschaffen, bevor jemand etwas mitkriegte. Aber wenn irgendeiner rausgekommen wäre, dann hätte ich einfach eine Kehrtwende gemacht und behauptet, sie wäre ohnmächtig geworden. Was ja irgendwie auch stimmte. Und dass ich sie zurück nach drinnen bringen wollte.

Es gibt dort keine Sicherheitskameras oder so. Das wäre

das Letzte, was sie in einer Kneipe wie dem Lion *haben wollten. Und keiner hat mich gesehen. Da bin ich mir ganz sicher. Schließlich habe ich mich die ganze Zeit umgeschaut. Aber für den allerschlimmsten Fall habe ich auch schon vorgesorgt. Ich vermute, dass die Polizei sofort bei mir vor der Tür stünde, wenn mich jemand beobachtet hätte. Innerhalb der nächsten Stunde. Und wenn es so wäre, würde ich ihnen einfach Debra aushändigen. Und so tun, als hätte ich mich um sie gekümmert. Ich würde einfach sagen, ich hätte sie aufgegriffen, als sie orientierungslos herumlief. Debra wird ja bestimmt nichts dagegen einwenden. In ihrem Zustand kann sie sich ja wohl kaum an irgendetwas erinnern.*

Was gut ist. Weil ich ihr ja nichts tun will. Ich habe an sich nichts gegen Debra. Es geht überhaupt nicht darum, ihr in irgendeiner Weise zu schaden. Ich muss sie nur für ein Weilchen aus dem Verkehr ziehen.

Beth saß mit ihren Eltern in der Bar.

»Ich verstehe das nicht«, sagte ihre Mutter. »Was, um Himmels willen, hast du hier überhaupt gemacht? Du hattest doch gesagt, du wärst bei Tonya. Das kommt eben davon, wenn du ständig lügst.«

»Hör auf!«, schrie Beth. »Hör auf, mir Vorträge zu halten. Jetzt nicht! Debra ist verschwunden. Glaubst du nicht, dass ich mich schon schlecht genug fühle, auch ohne dass du auf mir herumhackst?«

»Ist ja schon gut«, sagte ihr Stiefvater und legte den Arm um sie, als sie anfing zu weinen. »Ich frage mal, ob wir dich jetzt mit nach Hause nehmen können.«

»Ich will nicht nach Hause«, sagte Beth. »Ich will nirgendwohin. Nicht bevor man Debra gefunden hat.«

»Das hilft ihr auch nicht weiter«, sagte ihr Stiefvater, »wenn du hier nur rumsitzt. Du hast deine Aussage gemacht. Mehr kannst du nicht tun.«

Aussage, dachte Beth. Irgendetwas an ihrer Aussage stimmte nicht ganz. Sie hatte irgendetwas nicht ganz richtig erklärt. Aber sie konnte sich nicht mehr erinnern. Konnte überhaupt nicht mehr richtig denken. Außerdem spielte es keine Rolle. Jeden Augenblick musste jemand anrufen mit der Nachricht, dass man sie jetzt gefunden hatte. Sie mussten sie einfach finden. Debra konnte nichts Schlimmes zustoßen.

Solche Dinge passierten doch immer nur anderswo und anderen Leuten. So was in der Richtung hatten auch die ersten Polizisten gesagt, die hier aufgekreuzt waren. Sie hatten das Ganze anscheinend nicht richtig ernst genommen. Eine Sechzehnjährige macht sich heimlich von einer Party davon. Das passierte doch ständig. Aber es handelte sich eben nicht um irgendeine Sechzehnjährige. Es ging um Debra. Und Debra würde so etwas nie tun. Das hatte Beth ihnen immer und immer wieder erklärt.

Nicht dass es einen Unterschied gemacht hätte. Die Polizei hatte sich ganz darauf versteift, wie misslungen der Abend für Debra gewesen war. Der Streit mit Amy. Der Ärger mit ihrem Freund. Mit Tim und mit Stefan. Sie nahmen einfach an, dass es ihr gereicht hatte und dass sie sich irgendwohin verzogen hatte. Und sie waren nicht wirklich aktiv geworden, bis Debras Vater eingetroffen war. Beth wusste nicht genau, was Mr Cardew ihnen gesagt hatte, aber es hatte eindeutig etwas verändert.

Beth sah weiter drüben Mr Cardew bei ein paar anderen Männern stehen, die ziemlich sicher Polizisten in Zivil waren. Er schaute zu Beth hinüber, und sie ertappte sich dabei, dass sie seinem Blick auswich. Verschämt. Schuldbewusst.

Sie hätte etwas unternehmen und früher nach Debra suchen sollen.

»Wir könnten noch einmal losgehen«, erklärte sie ihren Eltern. »Und uns an der Suche beteiligen. Tonya tut das auch, glaube ich.«

Beth überlegte, was wohl mit Miriam passiert war. Sie hatte gesehen, wie Miriams Vater ankam, angespannt und gestresst. Sie hatte gehört, wie Miriam eine Aussage machte, die nicht besonders aussagekräftig war, weil Miriam sich an einen Großteil des Abends nicht erinnern konnte. Und irgendwann im folgenden verschwommenen Nebel der Zeit war Miriam dann plötzlich verschwunden gewesen.

Beth hielt sich am Arm ihrer Mutter fest und stand mühsam auf. Draußen war der entfernte Klang von Sirenen zu hören. Eine Hundestaffel mit Schäferhunden suchte die direkte Umgebung des Pubs ab. Wenn Debra irgendwo ohnmächtig zusammengebrochen wäre, wie Beth zunächst gefürchtet hatte, dann wäre sie mittlerweile bestimmt gefunden worden. Aber wenn das nicht der Fall war, wo war sie dann? Man hatte alle ihre Freundinnen und Freunde durchtelefoniert. Häuser in der Nachbarschaft wurden kontrolliert, für den Fall, dass sie sich zu einem von ihnen geschleppt haben sollte. Bislang ohne Erfolg.

Während sie noch so dastanden und überlegten, was sie tun sollten, kam eine Polizistin auf sie zu. Eine von denen, die Beth zuvor befragt hatten.

»Wir tun unser Bestes«, sagte sie, als Beth wieder anfing zu weinen. »Wir werden sie finden. Du solltest jetzt nach Hause gehen und ein wenig schlafen.«

»Ich will aber helfen«, sagte Beth bestimmt.

Schließlich fuhren sie mit dem Auto herum. Fuhren den Weg zu Tonyas Haus noch einmal ab und wieder zum Pub zurück. Zu Debras Haus und wieder zurück. Durch die Innenstadt. Durch eine Reihe von Nebenstraßen. Zweimal wurden sie dabei von Polizeikontrollen angehalten und die ganze Zeit hörten sie in den Lokalnachrichten im Radio Berichte über die Suche nach Debra. Wenn die Polizei sie am Anfang vielleicht nicht ganz ernst genommen hatte, so hatte sich das gründlich geändert. Die ersten paar Stunden waren entscheidend, hatte einer der Polizisten erklärt, wenn jemand entführt worden war.

Debra war aber nicht entführt worden, sagte sich Beth. Das konnte nicht sein! Bestimmt würde gleich das Telefon klingeln. Aber das tat es nicht, und die Minuten und Stunden gingen vorbei, sodass sie schließlich erschöpft nach Hause fuhren. Beths Eltern bestanden darauf, dass sie sich hinlegte und versuchte, ein wenig zu schlafen. Als ob sie das könnte!

Sie schloss aber die Augen, während ihre Mutter neben ihr saß und ihr übers Haar streichelte. Halb träumend und halb wachend, war Beth wieder im Pub und sah Debra vor sich, wo sie hinging und mit wem sie sprach, was sie tat. Und plötzlich wusste Beth, was an ihrer Aussage nicht stimmte.

Fiona Cardew saß regungslos da und starrte den Kaffee an, den der Polizist ihr gemacht hatte. Ihr Mann starrte währenddessen aus dem Fenster, so wie er es seit der Rückkehr nach Hause getan hatte, und Lori lag weinend auf dem Sofa.

»Es tut mir leid«, sagte einer der Polizisten, »dass wir das alles noch einmal durchgehen müssen, aber wir müssen jede erdenkliche Möglichkeit berücksichtigen. Gibt es noch irgendeinen anderen Ort, an dem sich Debra Ihrer Meinung nach aufhalten könnte?«

Fiona schüttelte den Kopf, dabei schoss ihr ein stechender Schmerz das Rückgrat hinunter und ihre Kehle krampfte sich in einem Anflug von Übelkeit zusammen.

»Gibt es irgendeinen Grund, aus dem sie vielleicht weggelaufen sein könnte? Stand sie unter Stress? Gab es zu Hause Probleme?«

»Nein«, sagte sie. »Ich habe es doch schon gesagt. Wir hatten keinen Streit. Es gab keine Probleme. Debra ging es gut. Und bevor Sie das fragen, nein, sie hatte nichts mit Internet-Chatrooms am Hut. Sie würde nicht einfach mit irgendjemandem mitgehen. Nicht Debra.«

»Sie hat Ihnen aber nicht immer alles erzählt«, sagte der Polizist sanft. »Sie wussten nicht, dass sie in dem Pub war, oder?«

»Sie hat es aber *mir* erzählt«, sagte Lori und schaute auf. »Wenn es Dinge gäbe, die sie Mum und Dad nicht erzählen wollte, dann hätte sie sie mir gesagt.«

»Sie wüssten es also, wenn sie Drogen genommen hätte?«

»Drogen!«, kreischte Lori. »Debra! Die raucht ja noch nicht einmal und trinkt nur selten etwas!«

»Das ist genau der Punkt«, sagte der Beamte. »Ihre Freundinnen haben uns gesagt, dass Debra ziemlich betrunken wirkte. Aber dann hat uns eine der Freundinnen, Beth, vor einer halben Stunde angerufen, weil sie ihre ursprüngliche Aussage revidieren wollte. Sie meinte, sie hätte in dem Moment nicht wirklich darüber nachgedacht, aber sie ist sich sicher, dass Debra eigentlich gar nicht so viel getrunken hat. Sie hatte ihren Wein bei Tonya zu Hause nicht ausgetrunken und hat eine Reihe von Getränken im Pub so gut wie unberührt stehen gelassen. Es war eigentlich nicht genug, dass ihr davon so übel hätte werden können, meint Beth. Nicht genug, um sich deswegen so untypisch zu verhalten.«

»Sie glauben also, dass Debra etwas anderes genommen hat?«, fragte Lori. »Niemals! Auf gar keinen Fall!«

»Also gut«, sagte ein weiterer Beamter und versuchte einen anderen Weg. »Wir gehen alle Personen durch, die in dem Pub oder bei der Party waren. Aber das ist eine mühsame Angelegenheit. Ich würde Sie also bitten, einen Blick auf die Liste zu werfen, die wir bislang zusammengestellt haben. Sagen sie mir, ob es jemanden gibt, der Debra besonders nahestand. Jemanden, mit dem sie möglicherweise fortgegangen sein könnte. Oder jemanden, der sonst ein Interesse an Debra haben könnte.«

Fiona Cardew überflog ihre Kopie der Liste.

»Da sind Dutzende von Leuten, die Debra kannte«, sagte sie. »Alle ihre Freunde.«

Sie hielt inne und schaute zu Lori hinüber in dem Bewusstsein, dass sie beide beim selben Namen hängen geblieben waren.

»Ich finde, wir sollten es ihnen sagen«, sagte Fiona.

»Das ist doch unwichtig«, meinte Lori und schaute zu den Polizisten hinüber und dann zu ihrem Vater.

Aber der hörte gar nicht zu. Er hatte selbst etwas entdeckt, fuhr herum und schlug mit der Faust gegen die Wand.

»Drei Lehrer!«, schrie er. »Auf dieser Liste! Drei Lehrer, die dabei zugesehen haben, wie sich ein Haufen minderjähriger Kinder voll laufen lässt. Nun, die werden sich für das nächste Schuljahr einen neuen Job suchen müssen. Dafür werde ich verdammt noch mal sorgen.«

»Schon gut«, sagte ein Polizeibeamter und packte Robert Cardew am Arm. »Schon gut, beruhigen Sie sich.«

»Beruhigen!«, brüllte der. »Meine Tochter ist verschwunden, und Sie sagen mir, ich soll mich beruhigen!«

Aber er ließ sich zu einem Stuhl führen, während ein anderer Beamter Fiona zunickte und sie damit aufforderte fortzufahren.

»Lori hat immer wieder Drohbriefe und SMS bekommen«, sagte Fiona.

»Was?«, sagte Robert Cardew und sprang von Neuem auf.

»Und haben Sie es gemeldet?«, fragte der Beamte.

»Nein«, sagte Lori mit schriller Stimme. »Das war nicht nötig. Sinnlos. Ich wusste, von wem sie waren. Von Stefan, meinem Exfreund. Er ist ein Vollidiot, aber er meint es nicht ernst.«

Der Polizist, der am Tisch vor einem Laptop saß, schaute plötzlich auf.

»Wir haben zwei oder drei Aussagen, die darauf hinauslaufen, dass Debra eine Auseinandersetzung mit Stefan hatte.«

»Na und?«, sagte Lori. »Dabei ging es bestimmt um mich. Er belästigt sie ständig meinetwegen, aber er würde ihr nichts tun oder so. Er würde niemandem etwas tun.«

»Woher weißt du das?«, wollte ihr Vater wissen. »Woher weißt du, was dieser drogenbenebelte Irre tun könnte? Warum habt ihr mir nichts davon gesagt? Warum habt ihr mir nichts von diesen Briefen gesagt?«

»Weil er nur damit gedroht hat, sich selbst etwas anzutun!«, sagte Lori, wobei plötzlich Unsicherheit in ihrer Stimme mitschwang. »Nicht mir. Und schon gar nicht Debra. Nicht Debra!«

»Vielleicht«, sagte der Polizeibeamte. »Aber ich glaube, wir müssen uns mal mit ihm unterhalten. Und zwar gleich!«

Kapitel 5

Entgegen allen Erwartungen war Beth schließlich doch eingeschlafen, aber um zehn Uhr war sie wieder beim Pub mit Dutzenden von anderen, die sich alle bereit erklärt hatten, zu suchen oder sich befragen zu lassen.

»Wie schrecklich«, sagte Amy Parker, die herbeikam und Beth in den Arm nahm. »Ich kann es nicht glauben. Ich meine, Debra und ich waren nicht immer die besten Freundinnen, aber ...«

»Ja, genau«, sagte Beth und schob sie fort.

»Du glaubst doch nicht etwa, sie ist abgehauen oder so?«, meinte Amy. »Weil wir ...«

»Deinetwegen?«, fragte Beth. »Nein, das glaube ich nicht. Ich glaube nicht, dass es irgendetwas mit dir zu tun hat. Ich hoffe also, dass du dich jetzt besser fühlst, Amy. Echt. Dein schlechtes Gewissen zu beruhigen, steht nämlich im Moment *wirklich ganz oben* auf meiner Prioritätenliste.«

Damit stürmte sie von dannen. Es war sinnlos, auf Amy herumzuhacken. Das wusste sie. Aber sie hätte momentan einfach auf alle und jeden losgehen können. Nur um die Spannung loszuwerden. Und damit sie etwas zu tun hatte. Aber dummerweise funktionierte es nicht. Sie hatte ihre

Mutter angekeift und angeschrien, seitdem sie aufgestanden war, aber das hatte nur dazu geführt, dass sie sich jetzt noch schlechter fühlte. Der Schmerz zog sich so eng um ihre Rippen, dass sie kaum noch atmen konnte.

»Hey«, sagte eine Stimme hinter ihr.

Beth wandte sich um und sah Benny. Der knuddelige Benny, der sie sogleich in den Arm nahm und an dessen Brust sie sich ausweinen konnte, sodass sein T-Shirt ganz nass wurde, bis ein Polizist sie schließlich holte und sie in Gruppen aufteilte. Beth wischte sich die Augen und versuchte, sich zu konzentrieren, während ein Polizeibeamter ihnen erklärte, wo sie hingehen und wonach sie suchen sollten und wie alle zusammenarbeiten würden. Ihre Gruppe sollte sich ein Gewerbegebiet an der Straße vornehmen. Die Besitzer waren benachrichtigt worden, damit sie ihre Grundstücke und Gebäude zugänglich machten. Aber es war unwahrscheinlich, dass sie drinnen etwas finden würden. Es ging mehr um das Gelände, um Stellen, an denen jemand etwas weggeworfen haben konnte, Kleider oder …

Beth konnte nicht einmal daran denken. Konnte die Worte nicht einmal in Gedanken aussprechen. Stattdessen zwang sie sich, daran zu glauben, dass Debra jeden Augenblick auftauchen oder dass das Telefon klingeln würde und alles in Ordnung wäre. Oder dass sie aufwachen würde. Es wäre Samstagmorgen. Nicht Sonntag. Und die ganze Sache wäre ein einziger wahnsinniger Albtraum. Wenn es doch nur so wäre …

Die Gruppe war ungewöhnlich still. Selbst Benny, der normalerweise keine dreißig Sekunden die Klappe halten konnte, hatte bislang nur ein einziges Wort gesagt: »Hey«. Alle konzentrierten sich ganz auf die Suche. Die verzweifelte

Suche nach Hinweisen, und seien sie noch so klein. Und so blieb es eine ganze Stunde lang oder mehr, bis das Gerücht umging, die Polizei hätte jemanden verhaftet. Beth war nicht sicher, welches der Gerüchte stimmte oder wie sie entstanden waren, aber schließlich kursierten sie in dem ganzen Gebiet um das Pub herum.

»Es ist Stefan«, sagte Miriam. »Sie haben Loris Exfreund verhaftet.«

»Sie haben ihn nicht verhaftet«, widersprach ihr Cousin Eddie. »Sie haben nur mit ihm gesprochen. Das ist alles. So wie sie mit allen gesprochen haben.«

»Schon, aber ich hab gehört, dass sie ihn wegen Rauschgiftbesitz drankriegen«, sagte Omar.

»Und wegen Belästigung oder so«, meinte Safira. »Sie haben dieses Loch von Wohnung durchsucht, wo er wohnt, und haben seinen Computer und seine Cannabispflanzen mitgenommen, aber sie glauben nicht, dass er etwas mit … na, ihr wisst schon … zu tun hat, sonst hätten sie ihn dabehalten, meint ihr nicht?«

»Aber manchmal machen sie es doch so, oder?«, sagte Miriam. »Manchmal. Wenn sie nicht genügend Beweise haben. Wenn sie jemanden überführen wollen. Dann lassen sie ihn frei und beobachten ihn.«

»*Zicke!*«

Das Wort steckte in Beths Kopf fest, hallte dort wider und drängte die Gespräche um sie herum in den Hintergrund. Und mit dem Wort tauchte immer wieder das Bild von Stefans Gesicht auf. Der Ausdruck seiner Augen, als Debra sich geweigert hatte, den Brief anzunehmen. Ein Ausdruck der Verzweiflung. Aber wie groß war diese Verzweiflung gewesen?

»Nur weil er angeblich Drogen nimmt und in Lori ver-
knallt ist, heißt das noch lange nicht, dass er irgendetwas tun
würde, oder?«, meinte Benny.

Es war seltsam, dachte Beth. Wie alle versuchten, Debras
Namen zu vermeiden. Und dass die einzige Gewissheit, das
Einzige, was sie ganz sicher wussten, von keinem direkt an-
gesprochen wurde. Die Tatsache, dass Debra noch immer verschwunden war.

*Sie haben mich befragt. Na ja, das war ja auch zu erwarten,
nicht wahr? Ich habe damit gerechnet. Kein Grund zur
Sorge, oder? Sie befragen alle. Jeden, der im Pub war, der
daran vorbeigefahren ist oder in der Nähe wohnt. Nachbarn.
Freunde.*

*Irgendwie unheimlich, aber es hat mir auch eine Art Kick
gegeben. Noch einmal zu wiederholen, was ich gesehen und
gehört und mit wem ich gesprochen habe, was ich gesagt
habe, wo ich gewesen und wohin ich gegangen bin. Das
meiste davon war wahr, was die Sache umso leichter machte.
Man sollte nie lügen, wenn es nicht unbedingt sein muss. So
kann man am einfachsten den Überblick behalten über das,
was tatsächlich gelogen ist.*

*Und als die Polizei angefangen hat, mich über meine Ver-
bindung mit der Familie zu befragen, da habe ich es einfach
zugegeben. Natürlich hatten wir so unsere Meinungsver-
schiedenheiten, aber das bedeutet ja noch lange nicht, dass
ich ihnen Schaden zufügen würde. Das hier würde ich niemandem wünschen. Da müsste man ja ziemlich pervers sein,
hab ich denen gesagt, jemandem zu wünschen, dass er so
etwas durchmachen muss.*

Das Schlimmste war, als sie anfingen, über andere Sachen

zu reden. Die gar nichts mit Debras Verschwinden zu tun hatten. Da wäre ich fast ausgeflippt. Aber ich hab's grade noch geschafft, die Sache wieder in den Griff zu kriegen. Hab mich gezwungen, ganz ruhig zu bleiben. Sie waren auch gar nicht daran interessiert, an den Problemen, die ich gehabt habe. Sie haben nur versucht, mich aus dem Gleichgewicht zu bringen. Das sind so ihre Tricks, nicht wahr? Sie versuchen, einen zu überraschen. Ich hab dann einfach das Thema gewechselt. Bin zu Debra zurückgekehrt. Hab immer wieder betont, wie furchtbar das alles war und dass ich mich gar nicht konzentrieren könnte, weil ich immer darüber nachdenken müsste, was wohl mit ihr geschehen war.

Ich hab die Polizei sogar mit ein paar von meinen eigenen Ideen in die Irre geschickt. Hab den Namen von jemandem erwähnt. Sie haben genickt, so als hätten sie an ihn auch schon gedacht. Ihn vielleicht sogar schon vernommen. Aber ich bin mir nicht sicher, wie sehr die Polizei überhaupt noch hier in der Gegend sucht. Es gibt Gerüchte, sie hätten versucht, den Fall mit ein paar anderen verschwundenen Personen in Verbindung zu bringen. Manche davon liegen schon ein paar Jahre zurück. Nun ja, mir ist das nur recht. Sollen sie sich doch mit ihren Datenbanken beschäftigen, während ich meinen nächsten Schachzug plane. Denn die Sache ist noch nicht vorbei. Oh nein. Ich habe gerade erst begonnen.

Die letzte Gruppe, die zum Pub zurückkehrte, war diejenige, die entlang der stillgelegten Eisenbahngleise gesucht hatte. Beth konnte schon an ihrer niedergeschlagenen Haltung erkennen, dass sie nichts gefunden hatten. Mr Mason nickte ihr zu, und Tim Simmonds schien geradewegs durch sie hindurchzuschauen, bevor er zu seinem Wagen schlich. Marc löste sich von seiner Familie und kam zu ihr und Tonya herüber.

»Sie senden einen Aufruf«, sagte er wie zu sich selbst. »Heute Abend in den Nachrichten, mit Debras Eltern.«

»Ja, ich weiß«, sagte Beth und starrte Marc an.

Er sah bleich aus. Vollkommen bleich. Selbst aus seinen Augen schien alle Farbe gewichen zu sein.

»Ich … es ist …«, sagte er und blickte sich nervös um. »Die Bullen haben mich heute Morgen noch einmal befragt. Sie sind bei uns zu Hause gewesen. Ich meine, haben sie das mit allen so gemacht? Eine zweite Befragung?«

Beth seufzte. Sie hätte es wissen sollen. Dass es mal wieder mehr um ihn selbst als um Debra ging. Oder war das gemein von ihr?

»Nicht mit allen«, meinte Beth. »Aber mit ein paar Leuten schon.«

»Sie waren auch schon zweimal bei uns zu Hause«, sagte Tonya. »Haben immer wieder davon angefangen, dass meine Mutter wusste, dass wir heimlich zu der Party gegangen sind. Als hätten wir Debra geholfen abzuhauen oder würden sie irgendwo versteckt halten. Total verrückt. Meine Mutter ist völlig fertig. Sie hat sowieso schon ein schlechtes Gewissen.«

Marc drehte sich noch einmal um und schaute zu seinem Bruder hinüber.

»Was ist denn?«, fragte Beth.

»Nichts. Spielt keine Rolle.«

»Marc!«, sagte Beth und packte ihn, wobei sich ihre Nägel in seinen Arm gruben. »Was willst du eigentlich? Wenn du etwas weißt, *irgendetwas*, das uns weiterhelfen könnte …!«

»Ich weiß nichts«, sagte Marc. »Darum geht es gar nicht. Ehrlich. Ich würde alles tun, ihnen alles sagen, wenn ich dächte, dass es irgendwie weiterhelfen würde. Aber das ist nicht so.«

Er hatte jetzt Tränen in den Augen. Marc, der großmäulige Macho, stand heulend vor ihr, und sie wusste nicht, was sie tun sollte. Schlimmer noch, dachte Beth, während sie wegging, es war ihr egal. Wenn Marc sich nicht so blöd benommen hätte, wäre Debra am Ende des Abends vielleicht mit ihm zusammen gewesen anstatt ... Wo war sie? War vielleicht schon alles zu spät?

Als sie sich später den Aufruf im Fernsehen anschaute, merkte Beth, dass sie sogar auf Debras Eltern wütend wurde. Sie verlasen ein Papier und baten Debra, doch nach Hause zu kommen. Es wäre alles in Ordnung, ganz gleich was sie getan hätte. Wenn sie sich doch nur melden würde. Als wenn sich Debra irgendwo verstecken und alle zum Narren halten würde. Das war ja lächerlich!

»Das müssen sie tun«, erklärte Beths Mutter. »Sie müssen jede Möglichkeit in Erwägung ziehen. Auch wenn sie wissen, dass Debra nicht abhauen würde. Sie müssen es versuchen.«

Der Aufruf ging noch weiter. Es wurde darum gebeten, dass mögliche Zeugen sich meldeten. Aber Zeugenaussagen hatte es bereits zu Hunderten gegeben. Das wusste Beth. Die Polizei arbeitete sich durch Berge von Aussagen und wertete stundenlange Aufzeichnungen von Überwachungskameras aus dem ganzen Stadtgebiet aus und verfolgte Hinweise, die nur in die Irre führten. Und mit jeder Sekunde, die verstrich, verringerten sich die Chancen, Debra zu finden.

»Bitte, lieber Gott«, sagte Beth laut. »Bitte, lass sie nicht tot sein. Bitte lass sie nicht tot sein.«

Sie hatte nie zuvor gebetet. Noch gar nie. Sie hatte die

Worte in den Schulandachten mitgemurmelt, aber sie hatten ihr nie etwas bedeutet. Jetzt bedeuteten sie alles.

Es war dunkel. Vollkommen dunkel. Mit Ausnahme eines komischen, winzigen blauen Lichtsternchens, das im Inneren ihres Kopfes herumzuschweben schien. Hinter ihren Augen. Jetzt wurde es rot, dann weiß. Dann verschwand es ganz und gar. Ihre Augen waren offen, da war sie sich sicher. Aber etwas drückte darauf, als hätte man ihr die Augen verbunden. Es tat weh. Ihre Augen taten weh. Sie konnte nichts sehen. Und auch nichts hören. Aber sie war nicht allein. Sie war sicher, dass sie nicht allein war. Da war jemand. Jemand, der sie beobachtete, das konnte sie fühlen, spüren.

Sie versuchte zu rufen, aber es gelang ihr nicht. Ihr Mund schmerzte. Ihre trockenen Lippen wurden auseinandergezogen, ihre Zunge tat weh. Da war etwas. In ihrem Mund. Etwas, das sie daran hinderte, loszuschreien. Sie konnte sich auch nicht bewegen. Arme, Beine, gelähmt oder festgebunden? Den Kopf konnte sie drehen, aber das tat so weh, dass sie es gleich wieder aufgab.

Wo war sie? Sie spürte eine Bewegung, so als wäre sie in einem Auto. Aber da war kein Geräusch. Verspürte sie also eine Phantombewegung? Die Erinnerung an eine Fahrt? So wie die anderen Erinnerungen, die in ihrem Kopf durcheinanderpurzelten? Gelächter. Rufe. Leute, die redeten. Die mit ihr redeten.

»Debra.«

Sie war Debra. Debra.

Debra. Debra. Debra, sagte sie sich immer und immer wieder vor. Versuchte, sich daran festzuklammern, während die Stimmen verhallten und die Leere wiederkam. Und der

Raum, der noch nicht einmal da war und sich doch um sie herumdrehte, immer und immer wieder im Kreis. Übelkeit. Sie durfte sich nicht übergeben. Durfte es nicht zulassen. Mum würde bald kommen. Das Licht anmachen und ihr helfen.

Jetzt war jemand da. Sie spürte, wie er näher kam. War er die ganze Zeit da gewesen und hatte sie beobachtet? Wer? Nicht Mum. Falscher Geruch. Aber der Geruch war angenehm. Ein netter Mensch. Zog das Ding aus ihrem Mund. Ließ Wasser auf ihre Lippen und ihre Kehle hinunterrinnen. Kalt. Eiskalt. Komisch. Albern. Nicht unheimlich. So durstig. So unheimlich durstig. Nicht wegnehmen. Noch nicht. Hör mir zu. Aber das geht ja nicht. Ich spreche gar nicht. Kann nicht. Nur in meinem Kopf. Die Lippen wollen sich nicht bewegen. Nichts geht. Nichts geht. Ich will nach Hause. Nein, bitte nicht. Bitte nicht. Ich muss schlafen. Aufstehen. Nach Hause gehen. Warum bringst du mich nicht nach Hause? Bitte nicht, nein! Lass mich nicht allein. Lass mich nicht einfach hier. Ich will zu meiner Mum. Hilf mir. Warum hilfst du mir denn nicht?

»Sie müssen uns helfen. Wer immer etwas weiß, muss uns helfen.«

Loris bittende, verzweifelte Stimme klang noch immer durch den Raum, lange nachdem Beth den Fernseher ausgeschaltet hatte. Das Bild von Debras Gesicht hatte sich in Beths Augen eingebrannt. Das Video, das sie für den Aufruf verwendet hatten, hatte Beth noch nie zuvor gesehen.

Es zeigte Debra im Garten, wie sie ein Stück Schnur hinter sich herzog und mit Kipper, ihrer Katze, spielte. Als Kipper einen Satz nach der Schnur machte, schaute Debra direkt in die Kamera. Lächelnd. Sie sah aus, als würde sie jeden Augenblick direkt aus dem Fernseher spaziert kommen. Dann zoomte die Kamera noch näher heran. Auf die dunklen Haare, die ihr ums Gesicht flogen. Auf ihre Augen. Blau. Leuchtend blau. So lebendig.

Und überall im Land würden die Leute jetzt über sie reden. So ein hübsches Mädchen. Und klug. Hat eben erst ihre Abschlussprüfung gemacht … was für eine Schande. Und damit hatte man sie bereits abgeschrieben! Als wäre sie …

»Ich komme mir so hilflos vor«, sagte Beths Mutter. »Ich würde die Cardews gerne anrufen, aber wahrscheinlich wollen sie gar niemanden. Was meinst du?«

»Wir sind ja nicht irgendwer«, sagte Beth. »Wir sind schließlich ihre Freunde. Vermutlich ihre engsten Freunde. Ich meine, wenn alle so denken würden wie du? Was ist, wenn alle zu besorgt sind oder es ihnen zu peinlich ist, etwas zu tun? Vielleicht brauchen sie ja jemanden. Jemanden, mit dem sie reden können.«

»Beth hat recht«, meinte ihr Stiefvater. »Ich meine, wir sollten ihnen, ich weiß nicht, wenigstens unsere Hilfe anbieten. Selbst wenn sie es ausschlagen.«

»Nicht heute Abend«, beschloss ihre Mutter. »Vielleicht gibt es nach der Sendung irgendwelche Anrufe. Ich werde sie morgen anrufen. Gleich morgen früh. Das verspreche ich.«

Es war schließlich Beth, die anrief. Am Montagmorgen. Gleich nachdem ihre Mutter verkündet hatte, sie würde sich den Tag freinehmen, da sie auf keinen Fall wollte, dass Beth jetzt alleine war.

Es gab keine Neuigkeiten. Nicht wirklich. Nach dem Aufruf hatte es jede Menge Informationen gegeben, aber bislang nichts Konkretes. Nichts, was weiterhalf. Aber Mrs Cardew hatte gesagt, ja, es wäre ihnen recht, wenn sie vorbeikämen.

Sobald Fiona Cardew den Hörer aufgelegt hatte, klingelte das Telefon schon wieder. So war es den ganzen Morgen gegangen. Familie, Freunde, wohlmeinende Menschen. Angefangen hatte es mit Beth vor einer Stunde oder so. Die Polizei hatte angeboten, dass sie die Anrufe entgegennehmen könnten, aber Fiona hatte darauf bestanden, es selbst zu tun. Reden war besser als Nachdenken. So hatte sie wenigstens etwas zu tun, war beschäftigt.

Detective Sergeant Avery nickte ihr zu, dass sie den Anruf entgegennehmen konnte, und hörte weiter mit. Alles wurde sicherheitshalber überwacht und aufgezeichnet.

»Hallo, Fiona Cardew.«

»Hier ist Alice«, sagte eine Stimme.

Fiona schüttelte den Kopf. Alice? Wer um alles in der Welt war Alice?

»Alice Hall«, erläuterte die Stimme.

»Ach«, sagte Fiona.

Die Frau von Dr. Hall. Konnte es sein, dass die Frau noch nichts gehört hatte? Sie wollte doch jetzt nicht etwa über ihren Mann sprechen!

»Ich will Sie nicht lange aufhalten«, sagte sie. »Ich wollte nur kurz sagen, wie leid es mir tut. Ich hoffe, dass es ihr gut geht. Es tut mir wirklich so leid. Ich hoffe, dass Sie sie finden.«

Damit legte sie auf. Aber noch bevor Fiona näher darüber nachdenken konnte, warum ausgerechnet Mrs Hall sie angerufen hatte, klingelte das Telefon schon wieder.

»Hallo, Fiona Car…«

»Ich habe Ihren Aufruf gesehen«, unterbrach sie eine Stimme.

Nördlicher Akzent. Verzerrt. Falsch. Wie jemand mit einer starken Erkältung. Jemand, der versuchte, seine Stimme zu verstellen.

»Ich weiß, wo sie ist«, sagte die Stimme, und Fionas Hand fing an zu zittern.

»Wer ist da?«, sagte Robert Cardew und griff nach dem Hörer, während Lori ihre Mutter stützte, damit sie nicht hinfiel. »Wer sind Sie? Wo ist Debra?«

Fiona sah, wie Avery ihrem Mann wild gestikulierend bedeutete, er solle weiterreden. So wie man es ihnen erklärt hatte, falls ein Anruf wie dieser kam.

»Wo ist sie?«, rief Robert. »Wo ist Debra? Sagen Sie es mir. Was wollen Sie? Wir sind zu allem bereit!«

»Schauen Sie in der Schule nach.«

Dann ertönte ein Schnauben wie von unterdrücktem Lachen und die Leitung war tot.

Robert knallte das Telefon hin. Hob es wieder auf. Wählte 1471. »Nummer unterdrückt.«

»Alles in Ordnung«, hörte Fiona Avery sagen, inmitten zahlloser Anweisungen und eines plötzlichen Ausbruchs wilder Aktivität um sie herum. »Wir haben eine Spur, die wir verfolgen können. Seht zu, dass ein Team zur Schule rausfährt.«

»Ich komme mit«, sagte Mr Cardew und ging zur Tür.

»Einverstanden«, sagte der Familienverbindungsbeamte. »Warten Sie kurz, bis wir einen Wagen organisiert haben. Aber machen Sie sich nicht zu viele Hoffnungen. Wahrscheinlich ist es nur ein Trittbrettfahrer. Es ist verblüffend, wie viele Verrückte es dort draußen gibt. Leute, die glauben, so was sei witzig, oder die Aufmerksamkeit erregen wollen.«

»Okay. Wir können die Verbindung zurückverfolgen«, sagte Avery. »Ein Handy.«

Fiona klammerte sich an Lori und machte ganz automatisch eine Bewegung in Richtung Haustür, als sie diese aufgehen hörte. Aber sie kam nur ein paar Schritte weit. Ein uniformierter Beamter kam herein, um ihnen mitzuteilen, dass der Wagen bereitstünde.

»Mum?«, sagte Lori.

Fiona nickte.

»Ich komme zurecht«, sagte sie. »Geh du mit deinem Vater. Wenn du das willst.«

Kurz nachdem sie gegangen waren, kamen Beth und ihre Mutter an. Fiona hatte kaum Zeit, ihnen von dem Anruf zu erzählen, da erreichte sie die Nachricht, dass man den Besitzer des Handys ausfindig gemacht hatte.

»Nein«, sagte Beth, während der Name in ihrem Kopf widerhallte. »Das kann nicht sein. Das kann nicht stimmen.«

Kapitel 6

Beth saß zwischen Tonya und Benny auf der niedrigen Mauer vor Miriams Haus. Safira stand gegen das Schild mit der Aufschrift »Verkauft« gelehnt, während Omar mit einer kleinen Gruppe von Jungs dastand, die Köpfe gesenkt, die Hände in den Hosentaschen vergraben. Miriam war mit ihren Eltern und Eddie im Garten auf der anderen Seite der Mauer.

Irgendwie hatten sich alle bei Miriam zu Hause versammelt. Vielleicht weil es in der Nähe der Schule war. Ihrer Schule, wo die Polizei den ganzen Tag gesucht und doch nichts gefunden hatte. Der Anruf war, wie schon vermutet, nichts anderes als ein schlechter Scherz gewesen.

»Ich kann's nicht glauben«, sagte Tonya. »Ich kann einfach nicht glauben, dass ein Lehrer so etwas tun würde.«

Beth starrte sie an und versuchte dabei, ihren Blick zu fokussieren und Tonyas Worte zu hören. Aber sie war so erschöpft, so vollkommen ausgelaugt, dass die einfachsten Dinge zu unüberwindlichen Schwierigkeiten wurden. Selbst das Atmen. Mehrfach war sie kurz davor gewesen, umzukippen. Musste sich ermahnen, tief einzuatmen.

»Das hat er auch nicht getan!«, sagte Omar. »Ihr wisst,

dass er es nicht war. Mr Khan hat sein Handy ja nicht mehr. Er hat es verloren!«

»Das behauptet er jetzt«, sagte Beth matt. »Das will er der Polizei weismachen. Aber an dem Abend hat er es niemandem erzählt, oder? Er hat das Handy jedenfalls nicht als gestohlen gemeldet.«

»Na ja, das macht man doch auch nicht, oder?«, meinte Omar. »Die Polizei unternimmt ja nichts wegen gestohlener Handys! Vielleicht hat er gedacht, er hätte es im Pub liegen gelassen oder so. Und dann kam die Geschichte mit dem Verschwinden von Debra und dann hat er es einfach vergessen.«

Alle Jungs verteidigten Mr Khan. Er war einer von den beliebten Lehrern. Wie Mr Mason. Einer, der immer zu einem Spaß aufgelegt war. Könnte es also auch so ein Spaß gewesen sein, so einen Anruf zu machen? Ein Teil von Beth hielt das für unmöglich, andererseits, was sollte man sonst glauben? Seine Geschichte klang einfach nicht glaubwürdig.

»Vergessen!«, murmelte sie. »Klar doch.«

»Das ist möglich«, meinte Eddie.

»Woher willst du das denn wissen?«, sagte Beth in schärferem Ton als beabsichtigt. »Du kennst ihn doch nicht einmal!«

»Nein«, sagte Eddie. »Aber was ich sagen wollte, ist, ich hab mein Handy auch verloren. Ich war sicher, dass ich es am Samstagnachmittag noch in der Tasche hatte. Und als ich es dann am Sonntag benutzen wollte, war es nicht mehr da. Und ich hab auch keinem davon erzählt. Ich meine, das tut man doch auch nicht, oder? Man denkt, es taucht schon wieder auf. Aber was ich sagen will, ist, ich meine, da sie beide am gleichen Ort verschwunden sind, hat sonst noch jemand sein Handy verloren?«

Er blickte in die Runde, während alle anderen den Kopf schüttelten.

»Du glaubst also«, meinte Beth, »dass möglicherweise jemand rumgegangen ist und Handys geklaut hat, damit er einen fingierten Anruf machen kann? Und das alles, bevor Debra überhaupt verschwunden war. Das ist nicht besonders logisch, oder?«

Eddie wurde rot und ließ peinlich berührt den Kopf hängen.

»Ich weiß nicht«, meinte Miriams Vater. »Eddie könnte recht haben. Man sollte es jedenfalls erwähnen. Ich nehme an, du hast der Polizei noch nichts davon gesagt, Eddie?«

»Nein«, sagte er. »Noch nicht. Aber das werde ich. Wenn du glaubst, dass es wichtig ist, mache ich es jetzt gleich. Darf ich euer Telefon benutzen?«

Beth sah Eddie hinterher, wie er niedergedrückt nach drinnen ging. Er hatte genug eigene Sorgen, wo doch sein Vater im Gefängnis war, und er versuchte dennoch zu helfen. Er war mit draußen auf der Suche gewesen. Vielleicht weil Debra eine Freundin von Miriam war? Oder einfach nur so. Es hatte viele Leute gegeben, die ihre Hilfe angeboten hatten, obwohl sie Debra und ihre Familie überhaupt nicht kannten.

Darunter war auch der eine oder andere, von dem man es überhaupt nicht erwartet hätte. Die verrückte »Tütentante«, die sich immer im Einkaufszentrum herumtrieb, hatte es irgendwie erfahren und war gekommen, um zu helfen. Und eine Gruppe von Bauarbeitern hatte das Werkzeug ruhen lassen und sich an der Suche beteiligt. Da gab es Mütter mit Babys im Kinderwagen. Debras Großvater, der kürzlich operiert worden war und eigentlich noch gar nicht draußen sein sollte. Er suchte zusammen mit einem Dutzend seiner

Freunde aus dem Golfklub. Und ein Junge namens Simon aus der Oberstufe.

»Ich hab mit ihr getanzt«, hatte er Beth erklärt. »Also mit Debra. Und dann ist sie plötzlich weggegangen. Ich dachte, sie hätte mich einfach stehen lassen, deswegen bin ich nach Hause gegangen. Aber das hätte ich nicht tun sollen, oder? Ich hätte ihr folgen sollen, dann wäre vielleicht …«

Vielleicht. Wenn nur. Diese Worte hatte Beth selbst schon so oft verwendet. Aber das half nichts. Nichts half. Obwohl die halbe Stadt an der Suche beteiligt war, hatte man nichts gefunden. Jedenfalls nichts, das Debra wieder zurückbringen konnte.

»Das Dumme ist, dass man eigentlich keinem mehr trauen kann«, meinte Safira. »Nicht einmal den Lehrern. Ich meine, Mr Khan mit seinem Handy und Mr Mason mit seinem wackeligen Alibi.«

»Wie meinst du das?«, fragte Tonya.

»Sein Alibi«, sagte Safira, als wäre das allgemein bekannt. »Als die Polizei ihn zum ersten Mal verhört hat, hat er ja so getan, als hätte er das Pub mit den anderen Lehrern verlassen. Hat er aber nicht. Er ist früher gegangen. Ganz alleine.«

»Woher weißt du das?«, wollte Benny wissen. »Woher willst du das alles wissen?«

»Ryan hat's mir erzählt«, sagte Safira. »Der hat einen Nachbarn, der bei der Polizei ist. Wahrscheinlich hat er's von dem.«

Möglich, dachte Beth, aber genauso gut könnte Ryan sich das alles auch nur ausgedacht haben. Es machten so viele Gerüchte die Runde.

»Na ja, es ist ja nicht so schwer zu erraten, was Mr Mason vertuschen will, oder?«, sagte Omar.

Er hob bedeutungsvoll die Augenbrauen, als alle sich umdrehten und ihn anschauten.

»Mrs Craig?«, sagte Omar. »Davon habt ihr doch bestimmt schon gehört, oder? Ich schätze, er hat sich aus dem Staub gemacht, um sich mit ihr zu treffen. Ich meine, das würde er halt nicht so laut sagen wollen, oder? Wo doch ihr Mann früher bei der Armee war und so.«

»Mrs Craig! Die Schulsekretärin?«, kreischte Safira. »Mr Mason und Mrs Craig? Du machst Witze. Sie ist doch doppelt so alt wie er. Und wir wissen schließlich, dass er auf Jüngere steht!«

Beth schüttelte den Kopf. Wie konnten sie nur so daherreden? Herumstehen und quatschen und Schulgerüchte verbreiten, als wäre es ein ganz normaler Tag? Als wäre Debra bei ihnen und könnte sich lachend einmischen.

»Wie gut, dass ich angerufen habe«, sagte Eddie, der gerade wieder aus dem Haus kam. »Die Polizei meinte, dass noch zwei weitere Leute vermuten, dass ihre Handys gestohlen wurden. Am Samstagabend. Im Pub. Das sind schon mindestens vier. Ich meine, es könnte natürlich reiner Zufall sein.«

Es musste Zufall sein, dachte Beth. Denn wenn es nicht so war … dann war das, was auch immer mit Debra geschehen war, von langer Hand geplant gewesen. Von jemandem, der sie kannte. Aber von wem? Wer würde so etwas tun?

Da gab es einen. Einen einzigen. Beth hatte ihn in ihrer Aussage erwähnt. Und dann ein schlechtes Gewissen gehabt. Aber rückblickend betrachtet, war es wirklich etwas seltsam: Er hatte so betont familiär getan, als er in der Schule mit Debra geredet hatte. Und dann war er plötzlich in dem Pub aufgetaucht. Als hätte er dort auf sie gewartet. Beth fragte sich, ob die Polizei das wohl verfolgt hatte. Ob die Polizei schon mit Tim Simmonds gesprochen hatte.

Es war irgendwie komisch, die ganze Geschichte in der Zeitung zu sehen. Sie nahm einen Großteil der ersten vier Seiten ein und hat diese Pornogeschichte mit dem Klempner auf die fünfte Seite zurückgedrängt. Was albern war, weil sie über Debras Fall gar nicht so viel zu berichten hatten. Es waren in erster Linie Hintergrundinformationen. Über ihr Leben, ihre Familie, ihre Freunde. Wie sich das wohl anfühlt für die Cardews? Wenn zur Abwechslung mal ihr Leben öffentlich auseinandergenommen wird?

In der Zeitung wurde die Durchsuchung der Schule erwähnt, aber es wurden keine Details genannt. Stattdessen wurde darüber gelabert, wie besorgt Debras Freundinnen sind und dass man ihnen psychologische Betreuung angeboten hat.

Psychologen. Heutzutage scheint man der Meinung zu sein, dass Psychologen die Antwort auf alles sind. Ein Gespräch mit einem verdammten Psychologen, und schon ist die Welt wieder in Ordnung. Aber mir hat es nicht weitergeholfen und denen wird es ebenso wenig helfen. Und Debra auch nicht. Wenn ich sie wieder freilasse. Falls ich sie wieder freilasse.

Oh, ich weiß schon, dass ich das eigentlich wollte. Eigentlich wollte ich sie schon nach ein paar Stunden laufen lassen, glaube ich. Am Sonntagabend. Falls sich schon genügend Panik verbreitet hatte. Aber das habe ich dann doch nicht getan. Ich konnte ja nicht, oder? Nicht solange überall Polizisten rumlaufen und ihre Nase in alles hineinstecken. Mir war nicht klar, was für Ausmaße das alles so schnell annehmen würde. Es ist schon erstaunlich, wie rasch die Polizei in Aktion tritt, wenn es um eine Familie wie die Cardews geht.

Aber das spielt keine Rolle. Ich habe alles abgesichert. In meinem besonderen Versteck. Debra hat mich nicht gesehen. Hat meine Stimme nicht gehört. Weiß nicht, wo sie ist. Ich meine, ich schleiche mich dorthin, sooft es geht. Ich halte sie weiter unter Drogen, sodass sie nicht mal weiß, auf welchem Planeten sie sich befindet. Jedenfalls nehme ich das an.

Das ist aber auch das Problem, nicht wahr? Wenn ich ihr zu viel gebe, krepiert sie an einer Überdosis. Oder sie muss kotzen. Was ist, wenn das passiert, während ich nicht da bin? Dann würde sie ersticken, mit dem Knebel im Mund. Aber ich kann nicht das Risiko eingehen, ihr den Knebel oder die Augenbinde abzunehmen. Und wenn ich die Dosis reduziere, kriegt sie vielleicht etwas mit. Etwas Entscheidendes. Aber das ist eigentlich auch egal, oder? Sie wird sich ohnehin nicht daran erinnern können, oder? Ich weiß es nicht. Hab es noch nicht bis zu Ende durchdacht. Hatte noch keine Zeit dazu. Nicht bei dem, was hier los war. Ich muss das meiste ganz spontan entscheiden.

Nicht nur wegen dem ganzen Trubel. Es ist noch etwas anderes. Als ich die ganze Sache hier angefangen habe, konnte ich noch nicht wissen, wie ich darauf reagieren würde. Wie sehr es mir gefallen würde. Mit ihnen zu spielen. Mit allen zu spielen. Ihre Fragen zu beantworten. So zu tun, als wäre ich besorgt und schockiert. Als würde es mich betreffen. Sie auf falsche Fährten zu locken. Sie dazu zu bringen, das zu tun, was ich will.

Ich hab noch so viele Ideen. Dutzende. Und mir fallen ständig neue ein, wenn ich Debra so daliegen sehe. Völlig hilflos wartet sie nur darauf, dass ich mich entscheide. Ich!

Ich entscheide! Aber es führt einen auch ganz schön in Versuchung. Zu wissen, dass ich alles tun könnte. Alles, was ich will. Ein Lösegeld fordern. Fotos machen und sie ihren Eltern schicken. Fotos in bestimmten Positionen. Oder vielleicht könnte ich sie mit geschlossenen Augen und über der Brust gefalteten Händen hinlegen, so als wäre sie tot. Ja, Fotos sind eine gute Idee. Das könnte ich eigentlich jetzt sofort machen.

Ganz gleich was ich vorhabe, Debra wird nicht widersprechen. Aber ich würde sie auch nicht anrühren. Jedenfalls nicht so. Ich weiß, dass man bei diesen Betäubungsmitteln von »date rape drugs« spricht, aber darum geht es mir ja gar nicht, oder? Ich überlege, was ich ihnen als Familie antun kann. Was ich da für Spielchen spielen könnte.

Aber nein. Ich sollte die Sache beenden. Wirklich. Je länger ich sie festhalte, desto größer wird die Gefahr, dass sie mich schnappen. Dass ich einen Fehler mache. Dass ich mich zu etwas hinreißen lasse, was ich eigentlich gar nicht tun will. Also okay, dann muss ich mir eben noch etwas wirklich Dramatisches überlegen, was ich tun kann, bevor ich Debra freilasse. Etwas, das sie alle fertigmacht. Das noch einmal Salz in die Wunde streut.

Es war seltsam. Es war dunkel. Vollkommen dunkel. Aber sie konnte sich selbst sehen. Sie lag auf einer Art Bett. Es war, als würde sie sich von oben betrachten. Und das Mädchen auf dem Bett schluchzte und würgte. Aber das in der Luft war glücklich und frei und schwebend. Zwei verschiedene Mädchen? Oder dasselbe? Hatte sie sich in zwei Hälften geteilt? Es spielte keine Rolle. So war es jedenfalls besser. Weil sie nicht wieder nach dort unten zurückkehren wollte. Zu der auf dem Bett. Ganz dreckig, fleckig, schwitzig, stinkig. Es war unheimlich dort unten. Es tat weh. Darum war sie entflohen. Hier oben gab es keinen Schmerz. Es war, als würde man auf Marshmallows hüpfen. Weich, federnd, warm, gemütlich. Hier oben konnte ihr nichts etwas anhaben.

Vielleicht konnte sie sogar durch die Decke nach draußen schweben, wenn sie sich anstrengte. Wenn es überhaupt eine Decke gab. Ganz hoch bis zu den Wolken. Dem Licht folgen. Dem Tunnel von Licht, der sie nach oben hob und sie fest in seinen Bann zog. So hell wie Engel. Und jetzt war unter ihr ein Garten. Darin zwei Mädchen. Klein. Kreischend. Laufend. Spielend.

»Du kriegst mich nicht, Beth! Du kriegst mich nicht! Ich fliege, Beth. Jetzt kriegst du mich nie mehr. Hier oben bin ich. Hier oben, Beth. Schau mal!«

Jetzt ist da nur noch ein Mädchen. Es schaut nach oben.

»Komm runter, Debra. Komm zurück. Du darfst nicht gehen. Ich lass dich nicht. Debra!«

Jetzt schwebte sie nicht mehr. Jemand schlug ihr ins Gesicht. Schrie ihren Namen. Zerrte an ihr herum, schlug sie. Kann nichts sehen. Kann nichts sehen. Kann nicht sprechen. Nur in meinem Kopf. Nicht. Aufhören. Das tut mir weh. Will das nicht. Will das nicht trinken. Will nicht. Bitte lass mich. Will zu meiner Mum. Will nach Hause. Warum hört mich denn keiner? Wieder der gute Geruch. Wie Kräuter oder … Wer bist du? Lass mich. Lass mich frei. Du tust mir weh.

Was machst du da? Will zu meiner Mum. Will zu meinem Dad. Und zu Debra. Nein, nicht zu Debra. Quatsch. Ich bin Debra. Will wieder schweben. Hier oben kannst du mir nichts tun. Ich komm nicht mehr runter. Dann kannst du mir nicht noch mal wehtun. Will wieder mit Beth spielen. Du kriegst mich nicht! Ich fliege. Ich fliege. Nein, aufhören. Aufhören. Lass mich in Ruhe! Ich krieg keine Luft. Ich krieg keine Luft.

Fiona Cardew starrte auf die Uhr im Regal. Fast schon Mitternacht. Aber was spielte das für eine Rolle. Die Zeit funktionierte nicht mehr so, wie sie sollte. Sie dehnte sich irgendwie aus. Zog sich quälend langsam dahin. Machte sie ganz verrückt. So wie die Irren, die sich andauernd bei der Sonderkommission der Polizei meldeten. Der Verbindungsbeamte hatte gesagt, das wäre immer so. Immer wenn die Polizei die Bevölkerung zur Mithilfe in einem Fall aufrief, gab es Hunderte von echten Anrufen, aber dazwischen auch immer wieder diese anderen, die Trittbrettfahrer, die Verrückten, die Aufmerksamkeit suchten.

Gehörte auch Mr Khan dazu?

Robert glaubte das nicht. Er war sauer auf ihn, weil er auf der Party gewesen war. Das hielt er für unangemessen und verantwortungslos. Aber Mr Khan wäre nicht bösartig, hatte Robert gesagt. Kein Mensch, der solche Anrufe machen würde. Die Polizei war derselben Meinung. Der Schulanruf war ihrer Ansicht nach anders gewesen als die anderen. Es könnte gut der Entführer gewesen sein. Mit Mr Khans gestohlenem Handy.

Die Polizei ließ eine Stimmanalyse anfertigen. Man hatte ungefähr herausgefunden, von wo der Anruf getätigt worden war. Aber das half ihnen alles nicht weiter. Nichts ging voran! Sie hatten sie nicht gefunden. Würden sie vielleicht nie finden.

Fiona hörte einen Schrei und merkte dann erst, dass er von ihr selbst stammte. Alle rannten zu ihr her. Lori. Robert. Eine Polizistin. Aber sie konnten ihr nicht helfen. Sie befand sich außerhalb ihrer Reichweite. Hatte sich ganz in sich zurückgezogen. Sie konnte die anderen kaum noch hören. Ihre Stimmen verschwammen zu einem Hintergrundgeräusch. Plötzlich ein anderes Geräusch. Das Telefon klingelte. Es brachte sie zurück. Ihre Hand schoss ganz instinktiv vor und griff nach dem Hörer.

»Hallo … hallo? Wer ist da? Hallo?«

Stille.

»Hallo?«, sagte sie wieder.

Keine Antwort.

Sie wollte schon den Hörer auf die Gabel legen, als plötzlich jemand sprach.

»Es wird Zeit«, sagte die Stimme. »Es wird Zeit, sich zu verabschieden. Verabschieden Sie sich von Debra.«

Dieselbe Stimme. Derselbe künstliche nordenglische Akzent.

»Nein … bitte … halt …halt …«

Atmen, Fiona. Du musst atmen. Weiteratmen. Ruhig bleiben. Lass ihn reden.

»Es ist die letzte Gelegenheit, Mrs Cardew. Sie wollen doch mit ihr sprechen, oder? Um sich von ihr zu verabschieden?«

Nicht schreien. Keine Panik verbreiten. Ganz ruhig bleiben.

»Debra! Debra? Kannst du mich hören?«

»Sie kann Ihnen nicht antworten. Aber sie kann Sie hören. Die letzte Stimme, die sie je hören wird. Sagen Sie ihr jetzt Auf Wiedersehen.«

Nein. Nicht. Nicht das. Sag was. Sag was zu ihr.

»Wir lieben dich, Debra. Wir haben dich so lieb …«

Ein plötzliches Klicken ließ den Raum erstarren. Das Geräusch kam einer Explosion gleich, in ihrem Kopf und außerhalb ihres Kopfes. Worte. Wutentbrannte Schreie, Liebe, Mutlosigkeit, Hoffnung, Unglauben, Verzweiflung.

Dann Stille.

Dunkelheit senkte sich herab.

Beth stand auf und ging zum Fenster hinüber. Sie wusste nicht, was sie aufgeweckt hatte. Aber da war etwas. Jemand. Dort draußen. Im Garten. Sie stand auf, zog die Vorhänge zurück und schaute auf den Rasen hinunter. Es war hell. Erstaunlich hell. Sie konnte die Gestalt ganz deutlich erkennen, die dort unten neben dem Baum stand und zu ihr hinaufschaute.

»Oh mein Gott, Debra!«, schrie sie. »Debra!«

Was tat sie da? Dort draußen im Garten. Sie schaute zu ihr empor, lächelte und winkte, als wäre alles in Ordnung. Als wäre es nicht mitten in der Nacht. Als wäre sie nie verschwunden gewesen. Wo hatte sie gesteckt? Was tat sie da? Was ging hier vor?

»Debra«, schrie sie wieder. »Warte, ich komme runter.«

Beth fuhr herum und sprang zur Tür, aber die ließ sich nicht öffnen. Jemand hatte sie abgeschlossen. Jemand hatte sie eingeschlossen!

»Mum! Lass mich raus. Debra ist da. Sie ist draußen.«

Hände griffen nach ihrer Schulter. Jemand nahm sie in die Arme.

»Lass mich los!«

»Alles in Ordnung, alles in Ordnung«, sagte ihr Dad und drückte sie noch fester an sich. »Du hast geträumt.«

»Nein«, sagte Beth und schob ihn beiseite. »Sie ist da draußen. Ich hab sie gesehen!«

Beth hielt inne. Das war ja gar nicht ihr Zimmer. Sie war

nicht in ihrem Zimmer. Sie war noch nicht einmal zu Hause. Sie war im Haus ihres Vaters. Im Wohnzimmer, das nach vorneheraus lag. Sie konnte also gar nicht in den Garten geschaut haben. Nicht von hier aus. Und außerdem war es nicht sein Garten, den sie gesehen hatte. Es war nicht einmal ihr eigener Garten bei ihrer Mutter zu Hause. Es war der von Debra.

»Ich verstehe das nicht«, sagte sie kopfschüttelnd. »Ich hab sie gesehen. Ich hab sie wirklich gesehen. Aber das kann ja nicht sein. Es war *ihr* Garten, den ich gesehen habe, Debras Garten.«

»Wie in dem Aufruf im Fernsehen«, sagte ihr Dad. »Daran hast du dich erinnert, das hast du gesehen. In deinem Traum.«

All die Aufregung, die Freude löste sich augenblicklich in nichts auf und Beth blieb ausgelaugt, erschöpft und verstört weinend zurück.

»Du bist eingeschlafen«, sagte ihr Dad. »Auf dem Sofa. Ich wollte dich nicht wecken, selbst als du angefangen hast zu rufen.«

»Es war Debra«, sagte Beth, die sich verzweifelt an das klammerte, was sie gesehen hatte. Sie wollte es glauben.

»Es tut mir so leid, mein Liebling«, sagte ihr Vater.

»Ich weiß«, sagte Beth. »Du musst das nicht immer wieder sagen. Ich weiß es!«

Es war also nicht echt. Es konnte nicht echt sein. Das wusste sie jetzt. Aber es war fast echt gewesen. Zu stark, zu lebensecht, als dass es ein Traum hätte sein können. Aber was sonst, wenn nicht ein Traum?

»Es ist vorbei!«, rief sie aus. »Was ich gesehen habe. Es war Debra. Und sie ist ...«

»Hör auf! Hör auf, Beth!«, sagte ihr Dad und zog sie wieder an sich. »Es war ein Albtraum, mein Liebling, sonst nichts. Keine Vorahnung. Nichts Düsteres. Schhh, beruhige dich. Du hast Debra gesehen, weil du sie gerne sehen wolltest. Das hat nichts zu sagen. Komm jetzt, geh schlafen.«

»Ich will nach Hause«, schluchzte Beth. »Ich will zu Mum.«

»Ich bringe dich zurück«, sagte ihr Vater. »Gleich morgen früh.«

»Jetzt«, sagte Beth. »Ich will jetzt nach Hause. Ist mir egal, was du sagst. Etwas ist geschehen. Ich muss jetzt nach Hause!«

Kapitel 7

Es ist alles schiefgelaufen. Ich wollte es nicht tun. Nicht so. Debra hat mich dazu gezwungen. Ich hab versucht, ihr mehr von dem Zeug einzuflößen. Aber sie wollte es nicht. Hat angefangen, um sich zu schlagen und es auszuspucken. Und ich hab sie geschlagen. Nur ganz leicht. Das kann es nicht gewesen sein. Die Ohrfeige kann sie nicht verletzt haben. Ich wollte nur ihre Aufmerksamkeit erregen. Wollte, dass sie etwas trinkt. Und das hat sie auch. Schließlich.

Sie hat sich beruhigt. Schien okay zu sein. Hab sie dann nur für ein paar Minuten alleine gelassen. Um zu telefonieren. Weil ich dadrin keinen Empfang hatte und auch nicht wollte, dass Debra mithört. Was das angeht, habe ich nur so getan. Ich wollte die nur noch weiter piesacken. Es war alles nur Show. Ich hab's ja gar nicht so gemeint. Ich hab das alles nicht so gewollt. Aber dann ...

Alles war anders. Als ich zurückkam, konnte ich sie nicht mehr aufwecken. Es ging einfach nicht. Ganz gleich wie sehr ich sie geschüttelt habe. Es war furchtbar. Als ich ihr den Knebel rausgenommen hab, war ihre Zunge ganz blau und geschwollen. Und ihre Augen hinter der Binde waren ganz starr. Leblos. Wie künstliche Augen. Glasklumpen. Und kalt.

Sie war so kalt. Sie hatte doch Decken. Ich hatte ihr Decken gegeben. Ich hatte mich um sie gekümmert.

Sie werden mir nicht glauben, dass es ein Unfall war. Jetzt nicht mehr. Weil ich schon diesen Anruf gemacht habe, in dem ich so getan hab, als hätte ich vor, sie zu töten. Aber das wollte ich ja gar nicht. Ich wollte denen bloß Angst einjagen. Es war Debras Schuld. Debra hat alles verdorben. Sie wollte einfach nicht wieder aufwachen. Sie wollte nicht zurückkommen. Ich hab beschlossen, sie loszuwerden. Schnell. Sie da wegzubringen. Weiß nicht, ob das richtig war. Aber jetzt ist es zu spät. Und außerdem wird schon alles gut gehen.

Es war dunkel. Keiner hat gesehen, wie ich sie rausgetragen hab. Bestimmt nicht. Das geht gar nicht. Aber ich bin ein bisschen besorgt wegen der Kameras. Die Sicherheitskameras und die zur Geschwindigkeitsüberwachung. Sie sind ja überall. Spionieren. Beobachten jede Bewegung, die man macht. Und ich musste sie ja ein ganzes Stück durch die Gegend kutschieren. Bevor ich sie abladen konnte. In einer ruhigen Ecke. Wo es keiner sehen würde.

Ich war aber vorsichtig. Echt vorsichtig. Hab keine Panik gekriegt. Nicht mal, als sie anfing zu stöhnen. Das hat mich total erschreckt. Weil ich ja dachte, sie wäre tot. Ich dachte echt, sie wäre schon tot. Aber das stimmte nicht. Ich wusste nicht, was ich tun sollte. Ich wollte ihr helfen, aber ich konnte es nicht. Also hab ich das Seil um ihre Hände und Füße mit einem Taschenmesser durchgeschnitten und sie einfach da liegen gelassen.

Bin dann nach Hause gefahren und hab aufgeräumt. Hab die Seile und alle meine Klamotten versteckt. Sodass ich sie verbrennen oder vergraben kann, sobald ich Gelegenheit dazu habe. Weil man ja die kleinsten Spuren nachweisen kann heutzutage, nicht wahr? Vielleicht sind da auch überall Spuren an Debra. Aber man wird sie nicht zuordnen können, nicht wahr? Weil sie an dem besagten Abend bestimmt von vielen Leuten berührt wurde. Alle haben sich ständig umarmt und geküsst. Sind aneinander entlanggestreift. Und ich war vorsichtig und hab die ganze Zeit Handschuhe getragen.

Sie werden sie finden. Bestimmt findet sie bald jemand. Vielleicht am Morgen, hoffe ich jedenfalls. Weil ich nicht wollte, dass es so endet. Vielleicht sollte ich dorthin zurückgehen. So tun, als hätte ich sie gefunden. Ganz zufällig. Ich könnte den Helden spielen. Nein, das ist zu gefährlich. Aber was ist, wenn sie stirbt? Vielleicht wäre es sogar besser. Sicherer. Ist vielleicht sowieso schon passiert. Aber das will ich nicht. Das wollte ich nie. Es ist nicht meine Schuld. Ich muss jetzt ruhig bleiben und nachdenken.

Telefon. Noch ein Anruf. Mehr ist nicht nötig. Ich sag ihnen, wo sie ist. Jetzt gleich. Bevor es zu spät ist.

Beth hing teilnahmslos auf dem Beifahrersitz des Wagens. Das Radio lief und ihr Vater redete, aber sie nahm nichts davon wahr. Es war ein Fehler gewesen, ihren Vater zu besuchen. Sie hatte es nicht gewollt. Wollte eigentlich gar nichts tun. Aber ihre Mutter hatte gemeint, es wäre das Beste. Zu versuchen, so normal wie möglich weiterzuleben. Normal! Wie konnte das Leben jemals wieder normal sein? Aber sie war zu erschöpft gewesen, um zu protestieren, und so war alles verabredet worden.

Ihr Vater hatte sie bei Miriam abgeholt, und sie waren eine Pizza essen gegangen, die sie nicht hatte essen können. Er hatte versucht, sie mit einem Eis zu locken. Als wäre sie noch immer ein kleines Kind. Als wenn sich ihre Probleme mit einem Eisbecher lösen ließen. Als wenn das Debra zurückbringen würde. Als wenn es dadurch besser würde.

Als sie dann bei ihm zu Hause waren, hatte er ihr einen Laptop überreicht, als Geschenk zur bestandenen Prüfung. Seine Frau, Shelley, hatte ihr ein paar CDs gekauft und die Kinder hatten eine Karte für sie gebastelt. Beth hatte versucht, erfreut oder zumindest interessiert zu wirken, aber es war ihr nicht gelungen. Ihre Prüfungsergebnisse, die die anderen so toll fanden, kamen ihr inzwischen ganz unwichtig vor. Was nutzte es schon, klug zu sein, wenn man noch nicht einmal auf seine beste Freundin aufpassen konnte? Shelley hatte die Schultern gezuckt und ihr Vater hatte verletzt geschaut, als Beth in Tränen ausgebrochen und aus dem Zimmer gestürzt war.

Es war ja nicht die Schuld ihres Vaters, dass er ihr nicht helfen konnte. Sie hatte ihn lieb, und sie war sicher, dass auch er sie liebte. Er versuchte, sein Bestes zu tun, sie abzulenken, aber er verstand sie einfach nicht. Nicht so, wie ihre Mutter sie verstand. Wenigstens hatte er sich bereit erklärt, sie wieder nach Hause zu fahren. Sie waren schon fast da, fuhren gerade an der Baustelle des neuen Supermarktes vorbei. Vielleicht wäre es gut, ihre Mutter kurz anzurufen und sie vorzuwarnen, dass sie gleich auftauchen würden.

Als Beth ihr Handy aus der Tasche holte, hörte sie etwas. Sirenen. Sirenen, die näher kamen.

Ihr Vater fuhr langsamer, als zuerst ein Krankenwagen und dann ein Polizeiauto auf der Gegenfahrbahn vorbeirasten.

»Dreh um, Dad«, sagte Beth und schaute rückwärts aus dem Fenster, um zu sehen, wie die Einsatzwagen in die Supermarkt-Baustelle einbogen. »Dreh um!«

»Warum?«, wollte ihr Vater wissen.

»Debra«, sagte Beth. »Es hat etwas mit Debra zu tun. Das weiß ich.«

»Das bezweifle ich«, meinte ihr Vater und fuhr weiter. »Es könnte alles sein. Ruhestörer. Betrunkene.«

»Dreh um«, schrie Beth, als ein weiteres Polizeiauto an ihnen vorbeiraste.

»Das ist ja verrückt«, seufzte ihr Vater und machte sich daran, zu wenden.

»Nein, das ist es nicht«, rief Beth aufgeregt. »Hast du nicht gesehen? Hast du nicht gesehen, wer in dem Polizeiauto saß?«

War auch das wieder nur ein schlechter Scherz? Ein blinder Alarm? Auf der Baustelle, hatte der Anrufer beim zweiten Mal gesagt. Beeilt euch, hatte die Stimme gesagt. Als wenn es noch Hoffnung gäbe.

Sie hatten sich beeilt und waren jetzt schon unterwegs. Mannschaften mit Suchausrüstung und Scheinwerfern waren angefordert worden. Sanitäter. Sicherheitshalber.

Das Funkgerät knisterte und der Beamte auf dem Beifahrersitz sagte etwas. Fiona versuchte zu verstehen, was er sagte, aber es war, als hätte ihr jemand eine schwarze Kapuze über das Gesicht gezogen und zusammengeschnürt und damit all ihre Sinneswahrnehmungen gedämpft. Und als sie schließlich doch etwas hörte, konnte sie es kaum glauben.

»Sie haben etwas gefunden«, sagte der Polizist, nach hinten gewandt.

»Etwas?«, blaffte Robert. »Was soll das heißen, etwas?«

»Eine Person«, sagte der Polizist. »Sie glauben, es könnte …«

Wieder fing das Funkgerät an zu plappern und brachte ihn

zum Schweigen, während der Wagen gleichzeitig in die Baustelle des Supermarktes einbog.

»Sie ist es!«, verkündete der Polizist.

»Sind Sie sicher?«, kreischte Lori.

»Ja, sie sind sicher«, sagte der Polizist.

»Ist sie …?«, hob Fiona an.

»Sie lebt. Ihr Zustand ist schlecht, aber sie lebt«, bestätigte der Beamte.

Unmöglich. Kaum zu glauben. Sie lebte. Man hatte Debra gefunden und sie lebte.

»Wie schlecht ist ihr Zustand?«, rief Robert, beugte sich nach vorne und streckte die Hand nach dem Funkgerät aus. »Kann ich mit ihr sprechen? Lassen Sie mich mit den Leuten sprechen.«

Alles schien gleichzeitig zu passieren. Robert redete. Lori weinte. Der Wagen kam mit quietschenden Bremsen zum Stehen. Jemand half Fiona beim Aussteigen. Es war ein Polizist, glaubte sie, oder war es vielleicht Robert? Das helle Leuchten blitzender Blaulichter blendete sie im ersten Moment, doch sie eilte weiter. Dann tauchten weitere Scheinwerfer auf, ein weiteres Auto kam herbeigerast und hielt plötzlich an.

Beth stieg aus. Beth, dachte Fiona. Was tat Beth hier? Die Polizisten, die Sanitäter, die Fahrzeuge – alles war ein einziges lärmendes, chaotisches Durcheinander.

»Wo ist sie?«, rief Fiona, als sie von jemandem hinter dem Krankenwagen vorbeigeführt wurde. »Wo ist Debra? Ich will sie sehen.«

Ihr Blick fiel auf eine Trage, die eilig zu den offen stehenden Türen des Krankenwagens geschleppt wurde. Sie sah die graue Decke, schwarze Gurte, die Sauerstoffmaske, überall Schläuche, Blut, das über Debras Gesicht strömte.

»Oh mein Gott!«, flüsterte Fiona, bevor ihr die Beine wegsackten.

Es tat weh. Alles tat weh. Jemand hatte ihr gesagt, alles wäre in Ordnung. Aber es war nicht in Ordnung.

»Debra? Debra, kannst du mich hören?«

Debra schlug die Augen auf, aber das helle Licht zwang sie, sie sogleich wieder zu schließen.

»Debra?«

Lass das. Aufhören. Ich will meine Mum. Warum hört mich denn keiner? Keine Worte. Die Worte wollen einfach nicht rauskommen. Der Mund funktioniert nicht. Mir ist so schlecht und so heiß. Viel zu heiß. Muss raus. Nach draußen. Da ist es kühl. Was tust du da? Will das nicht. So müde. Will nur schlafen. Kann nicht schlafen. Da krabbelt was auf meinem Gesicht. Es soll weggehen. Mach, dass es weggeht.

»Debra? Halt still, Debra. Versuch, es da zu lassen. Es ist Sauerstoff.«

Hände, die ihre berühren. Nicht schön. Schieb sie weg. Zieh das Ding vom Gesicht. Ist nicht schön. Soll nicht da sein.

»Debra, ich bin's. Es ist alles in Ordnung, mein Liebling. Ich bin's. Du bist in Sicherheit.«

»Mum?«

Mund funktioniert wieder. Hab's gehört. Kann reden. Kann aber nicht sehen. Kann die Augen nicht aufmachen. Zu hell. Tut weh.

»Alles ist gut, Debra. Ich bin da. Dir kann nichts mehr passieren. Du bist im Krankenhaus.«

Wie dumm. Nicht Mum. Ein Traum. Klingt aber wie Mum. Redet immer weiter. Versuche zuzuhören.

»Du bist im Krankenhaus, Debra.«

»Krankenhaus? Seit wann?«

»Heute ist Mittwoch«, sagte die Stimme ihrer Mutter. »Gestern haben sie dich hierhergebracht. Ich war die ganze Zeit bei dir. Wir haben geredet. Erinnerst du dich?«

Debra schüttelte den Kopf. Stöhnte, als ihr der Schmerz zu den Schultern und den Rücken hinunterschoss.

»Ich hab gespielt«, sagte sie.

»Gespielt?«

»Im Garten, mit Beth.«

»Und an was kannst du dich sonst noch erinnern?«, fragte ihre Mutter. »Wo du gewesen bist?«

»Ich bin geschwebt«, sagte Debra. »Ich bin geschwebt und hab gespielt. Es ist zu hell. Ich kann nichts sehen. Ich will dich sehen. Damit ich weiß, dass du wirklich da bist.«

»Versuch's noch mal«, sagte ihre Mutter. »Ich hab das Licht ausgeschaltet und die Jalousien runtergelassen. Probier mal, ob du jetzt die Augen aufmachen kannst.«

Debra machte langsam die Augen auf. Sie sah den Schlauch, der aus ihrer Hand kam, sah das Gesicht ihrer Mutter, blass und angespannt. Versuchte, sich zu erinnern.

»Ein Unfall?«, sagte sie. »Hatte ich einen Unfall?«

»So ähnlich«, sagte ihre Mutter.

»Wo ist Dad? Wo ist Lori?«

»Sie kommen bald. Sie kommen bald zurück. Du erinnerst dich an sie?«

Komische Frage, warum sollte sie sich nicht mehr erinnern? Sie nickte.

»Gut«, sagte ihre Mutter, als hätte sie etwas Tolles vollbracht, etwas ganz Erstaunliches.

So wie eine bestandene Abschlussprüfung. Darüber hatten

sich auch alle gefreut. Auch sie selbst. Sie waren in dieses italienische Restaurant gegangen, wo der Kellner die ganze Zeit mit ihr und Lori geflirtet hatte. Und ihnen am Schluss zwei riesige Eisbecher servierte. Auf Kosten des Hauses, wie er gesagt hatte.

»Wann ist es passiert?«, fragte sie. »Der Unfall?«

»Nach der Party«, sagte ihre Mutter. »Erinnerst du dich an die Party?«

»So halb«, meinte Debra, während ein paar Bilder in ihr Hirn sickerten.

Wie Amy herumgeschrien und Miriam so manisch gelacht hatte und wie Benny auf den Knien herumgerutscht war.

»Und erinnerst du dich daran, wie du weggegangen bist?«, fragte ihre Mutter.

»Tanzen«, sagte Debra. »Ich hab getanzt. An was anderes kann ich mich nicht erinnern. Ist in dem Pub was passiert? Ich hätte nicht dort, sondern eigentlich bei Tonya sein sollen! Tut mir leid. Entschuldigung.«

»Das ist jetzt egal«, sagte ihre Mutter. »Es spielt keine Rolle, wo du warst. Jetzt bist du in Sicherheit.«

»Aber was ist mit Beth und Tonya und …«

»Denen geht es gut. Es ging nur um dich, Debra. Du …«

»Was?«, fragte Debra. »Was war mit mir?«

»Wir wissen es nicht«, sagte ihre Mutter. »Wir sind nicht sicher. Du bist verschwunden, Debra. Von der Party.«

Debra hörte sich selbst kichern, obwohl sie gar nicht so genau wusste, warum. Es erschien ihr irgendwie komisch. Verschwunden!

»Du warst einfach weg«, sagte ihre Mutter. »Irgendwann nach Mitternacht am Samstag. Wir haben dich dann in den frühen Morgenstunden am Dienstag gefunden. Bewusstlos. Auf einer Baustelle.«

Mitternacht am Samstag. Dienstag früh. Debra versuchte, die Stunden nachzurechnen, aber ihr Kopf wollte nicht. Es waren jedenfalls viele. Sehr viel Zeit. Wo war sie gewesen? Eine Baustelle? Sie konnte sich an keine Baustelle erinnern.

»Warum kann ich mich an nichts erinnern?«, sagte sie laut vor sich hin. »Ich kann mich doch auch an andere Dinge erinnern. Warum weiß ich nicht mehr, wo ich gewesen bin?«

»Die Ärzte haben einige Untersuchungen angestellt«, sagte Fiona.

Sie hielt inne. Schaute ihre Tochter an. Fällte eine Entscheidung. Sie würde es Debra selber sagen. Sie wollte nicht auf einen Arzt oder einen Psychologen warten.

»Sie haben Spuren von Drogen in deinem Körper gefunden.«

»Drogen?«, sagte Debra. »Nie im Leben! Das ist nicht wahr. Ich hab damit nichts am Hut, das weißt du doch. Du kannst Beth fragen oder Tonya oder sonst irgendwen.«

»Ist ja gut«, sagte Fiona und griff nach Debras Hand. »Keiner denkt, dass du absichtlich etwas genommen hast. Anscheinend hat man dir etwas in dein Getränk gemischt.«

»In mein Getränk?«, sagte Debra. »Du meinst so wie … damit sie …«

Konnte sie sich deswegen an nichts erinnern? Weil irgendjemand ihr etwas in ihr Getränk gemischt hatte? Wie bei den Fällen, von denen man ihnen im Biologieunterricht erzählt hatte, als abschreckendes Beispiel? Vergewaltigungen, bei denen die Opfer durch Drogen gefügig gemacht worden waren.

»Es ist nichts passiert«, betonte ihre Mutter. »Nicht so was.

Die Ärzte hätten es festgestellt, wenn da etwas passiert wäre, und das ist nicht der Fall.«

»Willst du damit sagen, sie haben mich angefasst?«, fragte Debra. »Haben mich untersucht?«

»Das mussten sie ja«, sagte ihre Mutter.

»Und ich habe es nicht gemerkt?«, sagte Debra.

»Du warst wach«, sagte ihre Mutter. »Du warst bei Bewusstsein. Ich war bei dir.«

»Aber ich kann mich nicht daran erinnern. Ich kann mich nicht daran erinnern, wie ich hergekommen bin. Ich kann mich nicht erinnern, was davor passiert ist. Alles könnte passiert sein. Alles! Und ich wüsste es nicht! Ich weiß es nicht!«

Ihre Stimme wurde immer höher, schriller, hysterisch. Ihr Kopf schlug auf das Kissen. Immer wieder und wieder. Als versuchte sie, etwas wachzurütteln. Sich zu erinnern. Jetzt schwebte sie wieder und schaute auf das andere Mädchen hinunter. Das andere Mädchen. Die nicht wirklich sie selbst war. Mit der irgendwelche Dinge geschehen waren. Dinge, an die sie sich nicht einmal erinnern *wollte*.

Kapitel 8

Am Sonntagmorgen stand Beth draußen vor Debras Haus. Sie wollte nicht klingeln und wusste doch, dass sie es tun musste. Sie wusste nicht, was sie drinnen vorfinden würde. Debra war gestern Nachmittag aus dem Krankenhaus entlassen worden. Man hoffte, sie würde bessere Fortschritte machen, wenn sie zu Hause war. Beth hoffte, dass das richtig war, aber das, was Lori am Telefon gesagt hatte, klang nicht besonders optimistisch.

Die Zeitungsberichte, die Nachrichten im Fernsehen, all das war so freudestrahlend gewesen, als man Debra gefunden hatte. Und das hatte natürlich auch seine Richtigkeit. Oft genug endeten Fälle wie dieser ganz anders. Weit schlimmer. Die Medien hatten versucht, Beth zu Interviews zu bewegen, aber ihre Mutter hatte das nicht zugelassen und Beth war froh darüber. Sie wollte es nicht. Sie wollte nicht beschreiben, wie es gewesen war, Debra dort auf dieser Trage liegen zu sehen. Mit ihrem bleichem Gesicht voller Blutergüsse. Wimmernd und stöhnend. Wie ihr das Blut aus der Nase geschossen war.

Das waren Bilder, die Beth niemals vergessen würde, von denen sie sich nie würde befreien können. Aber obwohl sie das alles direkt mitbekommen hatte, war Beth zunächst so naiv gewesen zu glauben, dass damit alles vorbei wäre. Debra war zurück. Sie würde sich erholen. Das Leben würde weitergehen und das Leben würde wieder in normalen Bahnen verlaufen.

Inzwischen wusste sie es besser. Und deswegen brauchte sie auch so lange, um die Türklingel zu betätigen. Sie war täglich dreimal im Krankenhaus gewesen. Manchmal hatte Debra sie sehen wollen, manchmal auch nicht. Und Beth war sich nie sicher, was eigentlich schlimmer war.

Langsam hob sie die Hand, ließ sie über dem Klingelknopf schweben, doch noch bevor sie drücken konnte, wurde die Tür geöffnet.

Sie ist wieder zu Hause. Sie ist in Ordnung. Sie ist in Sicherheit. Aber sie geben einfach keine Ruhe. Die Polizei ist überall, schnüffelt herum und stellt Fragen. Es hat sogar eine spezielle Reportage über den Fall gegeben. Der Entführer sei hochgefährlich, haben sie gesagt, und würde mit großer Wahrscheinlichkeit wieder zuschlagen! Warum tun sie das und sorgen mit ihren dummen Theorien für Unruhe und verbreiten Panik?

Sie haben einen sogenannten Experten hinzugezogen, der ein psychologisches Profil des Entführers abgegeben hat. Vermutlich ein Einzelgänger. Ein Besessener. Möglicherweise einer, der Dinge sammelt. Ein Kontrollfreak.

Nun, nach der Beschreibung wird mich wohl keiner identifizieren. So bin ich wirklich nicht. Ich sammle nichts. Außer meinen Bildern, aber das würde man ja nicht als Sammlung bezeichnen. Und ich bin definitiv kein Einzelgänger. Ich bin manchmal gerne für mich allein, aber das geht schließlich vielen Leuten so. Das heißt noch lange nicht, dass man ein Einzelgänger ist. Und was die Kontrolle anbetrifft … na ja, ich kann nicht sagen, dass ich schon mal irgendetwas in meinem Leben unter Kontrolle gehabt hätte …

Ich meine, die haben doch keine Ahnung. Sie wissen überhaupt nichts über mich. Sie sind darauf gekommen, dass ich vermutlich aus dem Ort komme und mit der Familie bekannt bin. Das ich irgendeine offene Rechnung mit ihnen habe. Nun, dafür habe ich ihnen wohl genügend Anhaltspunkte geliefert. Aber nicht genug, um Genaueres sagen zu können, denn es gibt Dutzende von Leuten, die die Cardews nicht leiden können. Schon allein die ganzen Leute, die sie in ihrer Zeitung bloßgestellt hat, und dazu vermutlich noch die meisten seiner Schüler.

Sie haben nichts über Debra selbst gesagt. Ob sie sich an irgendetwas erinnern kann oder ihnen sonst etwas sagen konnte. Aber das kann eigentlich nicht sein. Sie kann nichts gesehen haben. Noch nicht einmal, als ich ihr die Augenbinde abgenommen habe. Nicht in ihrem Zustand. Sie kann gar nichts gesehen haben.

Das Dumme ist, dass man heutzutage so viel mit dieser ganzen Spurensicherung machen kann. Dass man jemanden anhand einer einzigen Faser identifizieren kann. Deswegen habe ich jetzt auch alles verbrannt. Die Decken, die Handschuhe, die ich getragen habe. Die Schuhe. Ihren Schuh. Alles.

Ich schätze also, dass ich in Sicherheit bin. Werde mich aber trotzdem eine Weile aus der Schusslinie halten und vorsichtig sein mit dem, was ich sage. Irgendwann werden sie es schon aufgeben. Schließlich ist sie ja nicht tot oder so. Ich hab ihr gar nichts getan. Sie haben sie wieder. Was wollen sie denn noch mehr?

»Sie steht schon wieder unter der Dusche«, sagte Lori, während Beth ihr in die Küche folgte. »Kann ich dir irgendetwas anbieten? Kaffee?«

Beth nickte und starrte aus dem Küchenfenster in den lang gestreckten Garten hinaus, den sie in ihrem Traum gesehen hatte. Diesmal sah sie aber nicht Debra, sondern Mr Cardew, der sich mit einer Hacke an den ordentlichen Blumenbeeten zu schaffen machte.

»Das ist überhaupt nicht nötig«, sagte Lori, die Beths Blick gefolgt war. »Wir haben jemanden, der zweimal pro Woche kommt.«

»Ich weiß«, sagte Beth.

»Dad hat noch nicht mal was für die Gartenarbeit übrig«, sagte Lori und fing an zu weinen. »Er tut das bloß, um ...«

Sie griff nach einem Stück Küchenrolle, wischte sich damit die Augen und putzte sich die Nase.

»Vermutlich macht er alles kaputt, was Stan in den letzten Jahren für uns angepflanzt hat«, sagte Lori mit einem gezwungenen Lachen. »Aber das ist nicht das Schlimmste.«

Das Lachen erstarb.

»Das ist nicht das Schlimmste, womit Stan fertig werden muss«, meinte Lori. »Die Polizei hat ihn vernommen. Sein Haus durchsucht, seinen Schrebergarten. Er ist 72, zum Teufel. Er war, soweit wir wissen, an dem fraglichen Abend noch nicht mal irgendwo in der Nähe des Pubs. Aber sie kontrollieren alle. Alle, die jemals etwas mit uns zu tun gehabt haben.«

Beim Klang einer Tür, die oben geöffnet wurde, blickte sie auf. Schritte tapsten über den Flur. Drehten um. Gingen zurück. Die Tür schloss sich wieder. Wasser rann gurgelnd durch die Leitungen.

»Das macht sie öfter«, sagte Lori. »Genau wie im Krankenhaus. Sie kommt aus der Dusche und geht gleich wieder hinein. Und wenn sie nicht duscht, dann badet sie. Und wenn sie nicht badet, wäscht sie sich. Ganz gleich was wir sagen oder was der Arzt sagt oder der Traumatherapeut, nichts kann daran etwas ändern.«

»Das wird schon wieder mit der Zeit«, meinte Beth und war sich bewusst, wie schwach und unangemessen das klang.

»Ja, das erklärt Mum mir auch immer wieder, aber …«

»Wo ist sie?«, fragte Beth, die sich wunderte, dass Mrs Cardew gar nicht da war.

»Sie ist mal für ein paar Stunden ins Büro gegangen«, sagte Lori. »Sie ist noch immer krankgeschrieben, aber sie will sich ein paar Unterlagen holen, die sie dann vielleicht von zu Hause aus bearbeiten kann. Damit sie auf andere Gedanken kommt, weißt du? Und dann trifft sie sich noch mit jemandem. Mit diesem Fotografen. Tim Simmonds. Noch einer, den die Polizei einfach nicht in Ruhe lässt.«

»Na ja«, meinte Beth, »in seinem Fall überrascht mich das nicht.«

Lori schüttelte den Kopf.

»Du kennst ihn nicht«, sagte sie. »Ich meine, ich eigentlich auch nicht richtig. Jedenfalls nicht so gut wie Debra. Aber er kam mir immer eher wie ein Softie vor. Keiner, der anderen etwas zuleide täte. Selbst mit seiner Trinkerei wird er nie gewalttätig oder so. Er ist ein netter Kerl.«

Vielleicht zu nett, dachte Beth. Was wäre, wenn seine »Nettigkeit« von der falschen Art wäre? Von der perversen Art? Lori war naiv und viel zu vertrauensselig. Immer darauf aus, nur das Beste von anderen zu denken. Selbst jetzt noch, wo man keinem mehr trauen konnte. War Lori nicht klar, dass sich unter dem Einfluss von Drogen oder Alkohol die nettesten Leute verwandeln konnten? Dass jeder Versuchungen ausgesetzt war. Äußerem Druck. Man musste sich ja nur diesen Councillor Wilcox anschauen, wie der plötzlich auf die übelste Sorte von Pornos abgefahren war. Aber es hatte keinen Sinn, etwas dazu zu sagen. Nach allem, was passiert war, war es überhaupt ein Wunder, dass Lori den Glauben an die Menschheit noch nicht verloren hatte. Warum sollte sie das kaputt machen?

»Ist es okay, wenn ich hochgehe und Debra rufe?«, fragte sie.

»Klar doch«, sagte Lori. »Versuch, sie dazu zu bewegen, herunterzukommen, wenn du kannst. Sie hat noch nicht gefrühstückt oder so. Ich weiß nicht, was passieren soll, wenn die Schule wieder anfängt. Ich überlege schon, ob ich mich für das kommende Jahr von der Uni freistellen lasse, damit ich mich um sie kümmern kann. Das wäre schließlich einfacher, als wenn Mum oder Dad aufhören würden zu arbeiten. Dad redet immer noch davon, dass Debra wieder zur Schule gehen soll, aber da macht er sich selbst etwas vor. Das wird nichts. Bestimmt nicht. Sie will ja noch nicht einmal Leute sehen, die nicht zur Familie gehören ... du bist die Einzige.«

Und auch mich will sie meistens nicht sehen, dachte Beth, als sie vor der Badezimmertür stand.

»Debra«, sagte sie. »Ich bin's, Beth. Kommst du runter?«

»Ich bin in der Badewanne.«

»Ich weiß. Ich meine, kommst du bald runter?«

»Ja, bald«, gab Debra zur Antwort, aber es klang nicht besonders überzeugend.

Beth war sich noch nicht einmal sicher, ob sie wollte, dass

Debra nach unten kam. Es war schwer, ein Thema zu finden, über das sie sprechen konnten. Sie wusste einfach nicht, was sie sagen sollte.

»Sprich einfach über ganz normale Sachen«, hatte sie Mrs Cardew erst am vergangenen Morgen im Krankenhaus gebeten. »Über eure Freunde und so.«

Also hatte Beth über ihre Freunde und Freundinnen geredet. Ein halbe Stunde lang. Aber Debra hatte gar nicht zugehört. Sie war ganz woanders gewesen. Fast könnte man sagen, sie war *jemand* anderes. Mit ausdruckslosem Gesicht und stumpfem Blick.

»Sie will einfach wissen, was mit ihr passiert ist und warum«, hatte Mrs Cardew gesagt, als Beth aufbrach. »Aber wir können es ihr nicht sagen. Auch die Polizei kann es ihr nicht sagen. Weil wir es nicht wissen. Und wir kommen der Sache kein Stück näher. Vielleicht werden wir es nie herausfinden.«

Loris Handy klingelte, als Beth zurück in die Küche kam. Sie wollte sich zurückziehen, um nicht mitzuhören, aber Lori bedeutete ihr hereinzukommen.

»Also«, sagte Lori gerade, »du sollst mich nicht anrufen! Ja, ich weiß, dass du dir Sorgen machst. Und ja, ihr Zustand ist unverändert. Ja, das werde ich. Ich weiß, Stefan. Nein, natürlich nicht. Und danke für die Blumen.«

»Blumen?«, sagte Beth, nachdem Lori das Telefonat beendet hatte. »Er hat dir Blumen geschickt?«

»Nein, nicht mir«, sagte Lori. »Debra! Die Sache macht ihn völlig fertig.«

»Das glaube ich gern!«

Die Worte waren ihrem Mund entschlüpft, bevor Beth sie zurückhalten konnte.

»Ich weiß, dass er ein Idiot ist«, sagte Lori. »Ich glaube, das weiß sogar Stefan selbst. Aber …«

»Er würde niemandem was zuleide tun, stimmt's?«, sagte Beth. »Aber irgendjemand hat genau das getan, oder? Jemand hat Debra etwas zuleide getan.«

»Ja«, sagte Lori. »Aber weder Stefan noch Tim. Selbst die Polizei glaubt nicht, dass Stefan es getan haben könnte. Sie wollen allerdings, dass ich Anzeige erstatte«, fügte sie noch hinzu. »Wegen der Sache mit den SMS.«

»Aber das willst du nicht tun?«

Lori schüttelte den Kopf.

»Zu viele Leute mussten schon wegen dieser Geschichte leiden«, sagte sie leise. »Warum sollte man noch einen zu der Liste hinzufügen? Das würde auch nichts nützen.«

Lori hatte recht. Was half es, voller Wut um sich zu schlagen und alles und jeden anzugreifen? Aber wie konnte sich Lori so sicher sein, was andere Leute betraf? Das war es, was Beth nicht verstehen konnte.

»Außerdem ist es mir lieber, die Polizei verbringt ihre Zeit damit, nach dem Entführer zu suchen, als hinter Stefan wegen Drogenbesitzes her zu sein oder hinter Marc wegen dem Wagen seines Bruders«, sagte Lori und begleitete Beth vor die Tür. »Denn erst wenn sie ihn gefunden haben, besteht die Chance, dass Debra wieder gesund wird. Und ich halte es nicht aus. Ich ertrage es nicht, sie so zu sehen.«

Sie klammerte sich an Beth und schluchzte, bis schließlich Mrs Cardew vorfuhr und sie mit nach drinnen nahm. Beth schaute beim Weggehen nach oben zum Badezimmerfenster und meinte, eine Bewegung am Vorhang zu erkennen. Als sie aber noch einmal hinaufschaute, war es vollkommen ruhig.

Debra trat vom Fenster zurück. Sie hatte Beth zuwinken wollen, ihr zurufen, sie solle zurückkommen, aber sie hatte es nicht getan. Weil sie nicht sicher war, wer sonst noch dort draußen war und sie beobachtete und wartete. Falls er jetzt gerade nicht da war, so würde er kommen. Sie wusste, dass er letztendlich kommen würde. Er würde zurückkommen. Ganz gleich was die Polizei sagte, was ihr Therapeut ihr erklärte, sie wusste, dass sie recht hatte. Wer immer es war, würde Sicherheit haben wollen. Würde die Lage abchecken. Vielleicht hatte er es sogar schon getan. Vielleicht war er sogar schon bei ihnen gewesen, hatte Blumen oder Schokolade vorbeigebracht und sein Mitgefühl ausgedrückt. Genau deswegen wollte sie auch keinen sehen. Falls er es war. Oder jemand, der mit ihm in Kontakt stand. Ihn berührt hatte.

Rasch ging sie zum Waschbecken hinüber und fing an, sich die Hände zu waschen. Dabei starrte sie in den Spiegel. Ganz tief hinein, in dem ständigen Versuch, in sich selbst hineinzuschauen. Ihre Erinnerungen zu erreichen. Sie mussten ja irgendwo sein. Es musste irgendetwas geben. Einen Hinweis, eine Spur, die zu den fehlenden Tagen führte.

»Verabschieden Sie sich, verabschieden Sie sich von Debra.«

Sie hatte sich die Bänder angehört. Kannte sie auswendig. Hatte versucht, etwas in der Stimme, in den Botschaften wiederzufinden. Etwas Bekanntes. Etwas, das einen irgendwie zu diesem Mistkerl führen könnte.

Was hatte er mit ihr angestellt? Warum hatte er seine Drohung nicht wahr gemacht? Warum hatte er sie nicht umgebracht? Hatte sie mit ihm gekämpft? Hatte sie Widerstand geleistet? Es gab keinerlei Anzeichen für einen Kampf, hatte die Polizei gesagt. Keine Spuren von Blut oder Haaren unter ihren Fingernägeln. Nichts, was darauf hindeutete, dass sie gekratzt oder gebissen hätte. Was hatte sie also getan? Dagesessen, dagestanden, dagelegen, während er das tat, was er wollte? Aber wie hätte sie kämpfen sollen? So vollgepumpt mit Drogen, wie sie war? Sie wusste ja nicht einmal, was da mit ihr geschah. Aber sie hätte es wissen müssen. Es war keine Entschuldigung. Sie hätte etwas tun müssen. Müsste sich jetzt erinnern. Es war ihre eigene Schuld. Alles war ihre eigene dumme Schuld.

Ihre Augen wanderten vom Spiegel zum Waschbecken hinüber zu den Spiegeltüren des Badezimmerschrankes. Aber es spielte keine Rolle, wohin sie schaute, sie würden ohnehin nicht zurückkommen. Die Erinnerungen würden nicht zurückkommen. Nur der Schmutz. Der Schmutz kam immer wieder. Auf ihrer Haut. Unter ihrer Haut. Dunkle, kleine Bläschen, ölige Flecken, die sich wie Blutergüsse ausbreiteten, ganz gleich wie sehr sie sich bemühte, sie abzuwaschen. Sie konnte sie auch jetzt wieder fühlen, wie sie unter der Haut herumkrabbelten und nur darauf warteten, hervorzubrechen. Halt! Sie musste sie aufhalten.

Sie streckte die Hand aus und öffnete die Tür des Schrankes. Genau wie sie es am vergangenen Abend getan hatte. Sie tastete über das unterste Regalbrett, bis sie das gefunden hatte, wonach sie suchte.

Wie konnte Lori sich so sicher sein? Diese Frage ließ Beth einfach nicht los. Wie konnte Lori Leuten wie Stefan und Tim vertrauen, während Beth einfach gar niemandem mehr vertrauen konnte?

Auch jetzt, während sie am helllichten Tage entlang einer belebten Straße nach Hause ging, ertappte sie sich dabei, dass sie sich misstrauisch umsah und eilig weiterging, wenn ein Auto langsamer fuhr. Dass sie Abstand hielt, wenn jemand an ihr vorüberging. Sie misstraute allen.

Sie misstraute den Leuten, die anriefen, um sich nach Debra zu erkundigen. Und das waren täglich Dutzende. Beth hatte die Rolle der Verbindungsperson zu Debra übernommen. Aber meinten sie es alle ernst? Oder war einer von ihnen krank, gestört und voller Schadenfreude? Marc? Simon? Simon wirkte unglaublich interessiert für einen, der doch nur einmal mit Debra getanzt hatte. Sie war ihm sogar eines Tages über den Weg gelaufen, als er vor Debras Haus herumlungerte. Er sagte, er wollte eine Karte einwerfen, was sich dann auch als zutreffend herausstellte. War sie also paranoid? Ja, vollkommen, war die Antwort. Aber sie konnte nichts daran ändern, sie konnte es nicht steuern.

Am Donnerstagnachmittag hatte sie abgelehnt, als Mr Mason sie in seinem Auto mitnehmen wollte. Sie war mit Tonya im Krankenhaus gewesen. Sie wussten, dass Debra sie wahrscheinlich nicht sehen wollen würde, aber sie wollten ihr wenigstens eine Karte dalassen, auf der alle ihre Freunde unterschrieben hatten. Mr Mason war aus ähnlichem Grund dort gewesen. Er hatte eine Karte und ein Geschenk des Kollegiums abgegeben.

Er ging mit ihnen drei Stockwerke im Treppenhaus hinunter und redete dabei die ganze Zeit. Aber auf einer ganz professionellen Ebene, viel distanzierter als zuvor. Als er dann sah, dass es draußen heftig regnete, hatte er ihnen angeboten, sie in seinem Wagen mitzunehmen. Tonya wollte ihm auch gleich folgen, aber Beth hatte sie am Ärmel gepackt und etwas geplappert, von wegen, ihre Mutter käme, um sie abzuholen.

»Ist schon in Ordnung«, hatte Mr Mason gesagt. »Ich verstehe. Ich hätte es nicht anbieten sollen.«

»Ich verstehe es aber nicht«, hatte Tonya gesagt, nachdem er fortgegangen war. »Er ist ein Lehrer, Beth! Er wird Millionen Male von der Polizei kontrolliert werden. Wir sind zu zweit! Was glaubst du denn, was er vorhatte?«

Beth wusste es nicht. Aber sie wollte kein Risiko eingehen. Mit niemandem. Nicht solange der Entführer noch frei herumlief.

Kapitel 9

»Miriam hat angerufen, während du im Bad warst«, sagte Fiona Cardew. »Sie hat für morgen Abend ein paar Freunde eingeladen. Nur ein paar. Bevor sie wegzieht. Sie meinte, ob du nicht …«

Debra schüttelte den Kopf.

»Ich könnte ja mitkommen«, meinte Lori. »Nur ein halbes Stündchen vielleicht.«

»Nein!«, kreischte Debra und rannte aus dem Zimmer. »Lasst mich doch in Ruhe! Lasst mich in Ruhe!«

»Ich rede mit ihr«, sagte Robert Cardew und berührte seine Frau am Arm, als diese aufstehen wollte. »Lori, ob du deiner Mutter wohl einen Tee kochst?«

»Und, wie war's heute Morgen?«, fragte Lori, während sie Wasser aufsetzte. Sie redete ununterbrochen, um Debras Weinen auszublenden. »Hast du was geschafft von deiner Arbeit? Wie bist du mit Tim klargekommen?«

»Ich habe mir Arbeit mit nach Hause genommen«, sagte Fiona. »Das müsste ich eigentlich nicht. Die kommen ganz gut ohne mich zurecht. Aber ich bin trotzdem froh, dass ich ins Büro gegangen bin. Nur um hier mal rauszukommen. Tut mir leid, das klingt furchtbar, nicht wahr?«

»Nein«, sagte Lori und reichte ihr den Tee. »Nein, das tut es nicht.«

»Und Tim … na ja, Tim war so gut drauf wie schon lange nicht mehr. Er ist ein bisschen genervt, weil die Polizei immer und immer wieder auf ihn zurückkommt, aber er schwört, dass er seit dem Abend, an dem Debra verschwunden ist, nichts mehr getrunken hat. Ich weiß aber nicht, ob ich ihm das glauben soll. Ich habe es alles schon so oft gehört. Aber ich habe ihn nicht weiter gedrängt. Ich weiß nicht, ob mein Gespräch mit ihm in dieser Hinsicht etwas gebracht hat. Er wollte die ganze Zeit nur über Debra reden.«

»Und was hast du ihm erzählt?«

»Genau das, was ich allen erzähle«, sagte sie. »Das ganze Psychogelaber, das uns der Therapeut ständig serviert. Dass es Zeit braucht. Geduld. Zeit und noch einmal Zeit. Aber ich glaube selbst nicht daran. Das ist das Problem. Als ich Tim erzählt habe, wie es ihr jetzt geht, wie beschmutzt sie sich vorkommt, dass sie sich ständig die Hände wäscht und schrubbt, bis sie bluten, da hat er angefangen zu weinen. Wir haben beide geweint. Aber all unsere Tränen nützen nichts, Lori. Denn wenn ich sie anschaue, dann sehe ich gar nicht mehr Debra vor mir. Und ich glaube nicht, dass ich sie jemals zurückbekommen werde.«

»Das werden wir«, sagte Lori. »Sie wird es überstehen. Sie wird sich erholen, Mum. Das muss sie einfach.«

Es war keine besonders tolle Party, dachte Beth. Aber wie sollte es auch? Entlang der Wände stapelten sich die Umzugskisten als bittere Mahnung, dass Miriam in einer Woche bereits fort sein würde. Sie würden alle wieder in der Schule oder im College sein. Alle außer Debra.

»Ich bin mir nicht sicher, dass ich überhaupt noch wegziehen will«, hatte Miriam gesagt. »Ich meine, es war eigentlich gar nicht mehr so schlimm in der letzten Zeit. Keine Drohbriefe oder mitternächtliche Anrufe, bei denen sich niemand meldet. Und ich glaube langsam, dass Mum doch recht hat. Es kommt mir so vor, als würden wir davonlaufen. Aufgeben. Als wären wir die Schuldigen.«

In der folgenden Pause hatte Beth etwas sagen wollen, das ihr Mitgefühl ausdrückte oder Miriam bestärkte, aber sie fand nicht die richtigen Worte.

»Ein Teil von mir ist der Meinung, dass wir hier ausharren und Onkel Gordon unterstützen sollten. Ihn besuchen, so wie meine Mutter das tut«, fuhr Miriam fort. »Aber dann denke ich wieder an das, was er getan hat ... all die Bilder ... von kleinen Mädchen ... dann wird mir ganz schlecht, und ich weiß, dass ich nicht will, dass er irgendwo in meiner Nähe ist und mich anschaut! Bei Dad ist es noch schlimmer. Er meint, er würde ihn vermutlich umbringen, wenn er ihm begegnen würde. Dann regt sich meine Mutter wieder auf, und die beiden fangen an, sich anzuschreien und ...«

Miriam hielt wieder inne und sah für einen Augenblick so aus, als müsste sie sich wirklich gleich übergeben, und noch immer konnte Beth nicht die richtigen, unterstützenden Worte finden, die sie eigentlich sagen wollte. Es war fast, als hätte sie keine Gefühle mehr. Als wären sie alle aus ihr herausgedrückt worden und sie wäre verloren und still zurückgeblieben. Ohne jedes Mitgefühl für andere.

»Aber jetzt ist es nicht mehr nur Onkel Gordon, von dem wir uns entfernen, nicht wahr?«

»Wie meinst du das?«, fragte Beth, die durch diese plötzliche Wendung der Unterhaltung aus ihrer Lethargie gerissen wurde.

»Es geht auch um Debra. Ich weiß, dass sie im Moment keinen sehen will, aber sie wird ihre Freunde brauchen. Irgendwann. Und dann werde ich nicht da sein. Ich werde ihr nicht helfen können. Ich kann mich vor meinen Problemen verstecken, aber sie kann sich vor ihren nicht verstecken, nicht wahr?«

»Wir bleiben in Kontakt«, sagte Beth und umarmte sie. »Auch wenn du uns nicht sagen darfst, wo du hinziehst, du selbst kannst immer noch anrufen, oder? Du kannst Debra anrufen. Wenn es ihr besser geht. Es ist nicht für immer aus zwischen uns«

Ja, es war nicht für immer aus, dachte Beth später, als sie sich auf eine Umzugskiste gehockt hatte und an einem Glas Wasser nippte. Es fühlte sich aber so an. Sie drehte sich um, als die Wohnzimmertür aufging und Benny hereinkam, gefolgt von Marc und Amy Parker.

Warum Amy?, fragte sich Beth. Warum hatte Miriam Amy eingeladen? Es sollte doch nur ein kleiner Kreis ihrer besten Freunde kommen und dazu gehörte Amy nun sicherlich nicht. Aber der Ausdruck auf Miriams Gesicht, die soeben mit einem Blech Pizza aus der Küche hereinkam, machte Beth deutlich, dass Amy nicht eingeladen war. Sie war einfach mit Marc mitgekommen. Aber das spielte auch keine Rolle. Debra wäre es ganz egal, mit wem Marc zusammen war. Ihr war alles egal. Jedenfalls all die ganz normalen Dinge wie Freundschaften, Jungs, Musik oder Make-up.

»Hi«, sagte Marc, löste Amy aus seinem Arm und ging geradewegs zu Beth hinüber.

Er hielt den Kopf gesenkt beim Sprechen und schaute

sie nicht an, aber Beth bemerkte, dass er ein blaues Auge hatte.

»Wie geht es ihr?«, murmelte er. »Wie geht es Debra?«

Beth berichtete ihm alles, was sie wusste.

»Es ist nicht so, wie du denkst«, sagte Marc leise und warf einen Blick zu Amy hinüber.

»Ich denke gar nichts«, sagte Beth. »Es geht mich ja auch nichts an, oder?«

»Was ich sagen wollte, ist …«, fuhr Marc fort. »Debra bedeutet mir etwas … weißt du …«

»Aber nicht so viel, wie du dir selbst bedeutest«, sagte Beth und rutschte von ihrer Umzugskiste.

»Sei doch nicht so, Beth«, sagte Marc und ergriff ihren Arm. »Ich hab der Polizei letztlich alles erzählt. Auch von dem Streit über die Autoschlüssel und das Autofahren. Auch wenn mir klar war, dass sie mich dafür drankriegen werden.«

»Wow, wie heldenhaft von dir«, spottete Beth.

»Das hat außerdem einen Mega-Terz mit Dean ausgelöst«, sagte Marc. »So bin ich zu meinem blauen Auge gekommen. Dann hat Dad Dean eine verpasst und Dean ist ausgezogen und …«

»Glaubst du eigentlich, dass mich das interessiert, Marc?«, sagte Beth und marschierte davon in Richtung Küche.

Als die dort durch die Tür gestürmt kam, stieß sie mit jemandem zusammen und verschüttete den Rest ihres Wassers auf ein graues Hemd.

»Sorry«, sagte sie.

»Schon okay«, murmelte Eddie. »Ich hol dir noch was. Was willst du trinken?«

»Wasser. Einfach nur Wasser, bitte.«

In der Küche waren nur drei Personen. Eddie, Miriams

Mutter, die mit wilder Entschlossenheit einen Schokoladenkuchen aufschnitt, und Miriams Vater, der Gegenstände aus den Schränken nahm und sie in Kisten verpackte. Dieser Raum gehörte eindeutig nicht zum Partygelände. Abgesehen von der Packerei, lag eine angespannte, ja aggressive Stimmung in der Luft. So als hätte es gerade einen Streit gegeben, der jeden Augenblick wieder aufflackern konnte. Miriams Vater warf immer wieder Blicke zu seiner Frau hinüber, die ihn aber ignorierte und stattdessen Eddie anstarrte, während er das Wasser einschenkte. Als ob sie ihn eigentlich lieber nicht dahaben wollte.

Beth warf Miriams Eltern ein kurzes Lächeln zu, sagte Hallo und nahm das Glas Wasser von Eddie entgegen.

»Ich helfe den beiden nur ein wenig«, sagte er, als müsse er seine Gegenwart erklären.

Er lächelte. Das gleiche leicht schüchterne Lächeln, das er auch am Abend der Party gezeigt hatte. Kein Wunder, dass die Stimmung angespannt war. Wenn es schon für Miriam schlimm war, dass sich ihre Eltern dauernd über ihren Onkel stritten, wie musste es dann für Eddie sein, dachte Beth auf dem Weg zurück ins Wohnzimmer. Er stand schließlich im Zentrum des Geschehens. Und dann war da noch die Geschichte mit dem Telefon, die ihn bestimmt auch beunruhigt hatte.

»Ist mit dir alles okay?«, fragte Miriam. »Du siehst aus, als wärst du in Gedanken meilenweit entfernt.«

»Ich hab eben nur an Eddie gedacht.«

»An Eddie?«, sagte Miriam etwas irritiert.

»An sein Handy. Wie gut, dass er es gleich als vermisst gemeldet hat, sonst hätten sie ihn auch so in die Mangel genommen wie den armen Mr Khan.«

»Es war doch der wirklich üble Anruf, der von Eddies Handy aus gemacht wurde, oder?«, sagte Benny, der sich soeben mit Marc zu ihnen gesellte. »Der mit ›Verabschieden Sie sich‹. Den haben sie auch im Fernsehen vorgespielt.«

»Genau«, sagte Miriam. »Und dann hat der Entführer noch ein anderes Handy benutzt, um den letzten Anruf zu machen. Den mit der Baustelle.«

»Aber sie kriegen ihn trotzdem nicht zu fassen«, sagte Marc. »Wer immer der Kerl ist, er ist jedenfalls nicht dumm, oder? Es war alles richtig gut geplant, schlau …«

»Krank«, sagte eine Stimme von der Tür her.

Alle drehten sich um und sahen, wie Eddie Marc einen bösen Blick zuwarf.

»Nicht schlau«, knurrte Eddie ohne jeden Anflug seiner sonstigen Schüchternheit. »Krank. Total krank. Für Leute wie den sollte die Todesstrafe wieder eingeführt werden.«

Vor gar nicht so langer Zeit wäre sie über eine solche Aussage entsetzt gewesen, dachte Beth. Hätte sogleich dagegenargumentiert. Aber jetzt musste sie dabei an Debra denken, in welchem Zustand man sie gefunden hatte und was sie jetzt noch durchmachen musste. Und auf einmal war Beth sich gar nicht mehr so sicher. Und allen anderen schien es ebenso zu gehen. Einen Augenblick herrschte Schweigen. Vollkommenes Schweigen, bis Marc plötzlich den Mund aufmachte.

»Nein«, sagte er. »Die Todesstrafe ist nie gerechtfertigt. Auch nicht bei Serienmördern und solchen Leuten. Und ganz sicher nicht bei Menschen, die krank sind, wie du selber sagst. Denn wenn sie krank sind, können sie vielleicht gar nicht anders.«

Beth starrte ihn verwundert an. So eine vernünftige und liberale Argumentation hätte sie von Marc nicht erwartet.

Und schon gar nicht unter diesen Umständen. Wo es sie persönlich betraf. Wo fast jeder, der sich im Raum befand, Debras Entführer eigenhändig umgebracht hätte, wenn sich die Möglichkeit dazu geboten hätte.

»Ich weiß, dass wir hier über Debra sprechen«, sagte Marc und blickte in die Runde, als spürte er, dass die allgemeine Meinung gegen ihn war. »Aber ganz gleich wie böse oder wie krank ein Mensch ist, man kann ihn nicht einfach umbringen. Außerdem reden wir hier nicht über einen Mörder. Immerhin hat er sie freigelassen, oder? Und er hat sogar den Bullen gesagt, wo sie sie finden. Vielleicht hat es ihm leidgetan. Er hätte sie umbringen können, aber er hat es nicht getan!«

»Aber er wird es tun, oder?«, sagte Eddie. »Eines Tages wird er jemanden umbringen, wenn man ihm nicht Einhalt gebietet. Selbst wenn sie ihn finden und ihn einsperren, kommt er nach fünf Jahren oder so wieder frei. Und dann wird es für ein anderes Mädchen vielleicht nicht mehr so glimpflich abgehen.«

»Eddie hat recht«, sagte Miriam, während ein oder zwei Leute, darunter auch Amy, zustimmend nickten.

»Na prima«, gab Marc zurück und wies mit dem Finger auf Eddie. »Toll. Und lässt sich seine ›Rübe-ab-Philosophie‹ auch auf andere Fälle anwenden? Auf andere Kranke? Pornosüchtige und Pädophile vielleicht?«

Beth hörte, wie ein paar Leute erschrocken Luft holten. Die Blicke wanderten zwischen Marc und Eddie hin und her. Sie sah, wie Benny ein paar Schritte nach vorne machte, bereit, sich jederzeit zwischen die beiden zu werfen, falls es zu einem Kampf kam. Miriam stand mit tränenüberströmtem Gesicht da.

»Mein Dad hat sich Bilder angeschaut«, sagte Eddie. »Nur ein paar dumme Bilder. Weil sie einfach so da waren. Weil sie verfügbar waren. Weil man sie ihm aufgedrängt hat. Er hat niemanden berührt, niemandem etwas angetan, er hat kein Leben zerstört. Außer sein eigenes vielleicht. Und meines. Und du bist der Meinung, das wäre dasselbe? Dasselbe, wie wenn jemand ein Mädchen unter Drogen setzt und entführt?«

Eddies wutentbrannte Selbstsicherheit brach plötzlich zusammen.

»Tut mir leid«, murmelte er und zog sich zurück. »Ich gehe jetzt.«

Miriams stille Tränen wichen nun lautem Schluchzen. Mehrere Leute versuchten, sie zu trösten, aber sie schob sie beiseite.

»Miriam«, sagte Marc.

»Lass es, Marc«, sagte Amy. »Lass es einfach.«

»Miriam«, fuhr er fort. »Es tut mir leid. Ich wollte nicht … du weißt, dass ich nicht …«

»Raus!«, schrie sie. »Alle zusammen. Raus jetzt!«

Alle reden ständig darüber. Man kann nirgendwo hingehen, ohne dass über Debra, über ihre Familie oder den Entführer gesprochen wird. Und das ist nicht hilfreich. Wirklich nicht hilfreich.

Ehrlich gesagt möchte ich die Sache am liebsten vergessen. Und mein Leben weiterleben, als wäre das nie passiert. Aber das kann ich nicht, oder? Ich hätte es nicht tun sollen. Das weiß ich mittlerweile. Ich weiß eigentlich gar nicht, warum ich es getan habe. Warum ich es wirklich durchgezogen habe. Es war, als hätte ich einfach nicht mehr aufhören können, nachdem mir der Gedanke erst einmal gekommen war.

Das Dumme ist nur, dass ich immer noch dran denke. Und es ist irgendwie verwirrend. Auf der einen Seite bin ich froh, dass es vorbei ist, aber auf der anderen Seite … Nein, vergessen wir das. Ich habe das getan, was ich tun wollte. Ich hab's ihnen heimgezahlt. Die Familie ist fix und fertig. Genau wie ich es wollte. Allerdings ist es nicht so gut, wie ich gedacht hatte, und ich weiß nicht so genau, warum. Vielleicht, weil sie es nicht wissen. Weil sie nicht wissen, dass ich dahinterstecke. Sie wissen nicht, wofür sie bezahlen oder warum ich sie leiden ließ. Und ich kann es ihnen ja wohl kaum sagen, oder?

Und so kommt es mir vor, als wäre die ganze Geschichte noch nicht richtig beendet. Und das ist gefährlich. Gefährlich für mich. Weil ich ständig noch was tun will. Etwas anderes. Ich kann den Gedanken spüren, wie er sich wie ein hartes, kleines Samenkorn in meinem Hirn eingenistet hat. Und ich weiß, dass es aufspringen und Wurzeln schlagen wird und dass sich seine Schösslinge überall ausbreiten werden. Sie werden wachsen und gedeihen und alles übernehmen, sodass ich am Ende gar keine andere Wahl mehr habe. Weil es immer so war in der letzten Zeit. So als hätte ich gar nichts mehr unter Kontrolle. Ich tue einfach irgendwas. Und das bin eigentlich gar nicht ich. Das bin nicht ich.

Ich war schon ein paarmal hier. Bin aber nicht reingegangen. Der Polizist, der draußen Dienst schob, sagte, die Familie wollte keine Besuche. Es war kein Risiko für mich, dort im Gespräch mit dem Polizisten gesehen zu werden, weil das schon so viele Leute getan hatten. Freunde, Bekannte, Neugierige.

Die Leute tun so, als wären sie schockiert, als wären sie besorgt, aber dabei sind sie doch nur sensationsgeil, oder? Drama, Schmutz und Schund, deswegen fahren die Leute so auf die Boulevardblätter und die Realityshows im Fernsehen ab. Sie können einfach nicht genug davon kriegen.

Warum sollte ich sie enttäuschen? Ich werde deswegen ja noch lange nicht geschnappt. Die sind alle so blöd. Die haben ja keine Ahnung. Und mein neuer Plan ist bei Weitem nicht so riskant wie der ursprüngliche. Warum sollte ich also Zweifel haben? Warum sollte ich gegen die Versuchung ankämpfen? Ich werde es tun. Ich weiß es.

Kapitel 10

Fiona öffnete die Haustür, um die Psychologin hinauszulassen. Es war ganz ungewohnt, keinen Polizisten mehr dort stehen zu sehen. Aber es war ihre eigene Entscheidung gewesen, den Personenschutz einzustellen und zu versuchen, wieder zur Normalität zurückzukehren. Und bei dieser Entscheidung waren sie auch geblieben. Selbst nach dem, was in der vergangenen Nacht geschehen war.

»Ich fand, sie war gar nicht so schlecht drauf heute«, sagte die Psychologin mit einem Lächeln.

Fiona nickte, obwohl sie ihr nicht zustimmen konnte.

»Wir haben dieses neue Problem durchgesprochen, und ich habe versucht, das Gespräch mit einem positiveren Ausklang zu beenden«, fuhr die Psychologin fort. »Damit sie wieder über ihre Zukunft nachdenkt. Es schien sie durchaus zu interessieren, dass sie den Schulstoff für die Oberstufe zunächst von zu Hause aus mitmacht, um dann nach und nach darauf aufzubauen und vielleicht zunächst einen Vormittag pro Woche in die Schule zu gehen.«

Das zu sagen und es dann auch zu tun, waren zwei ganz verschiedene Paar Stiefel. Heute war Montag, morgen war der Einführungstag für die neuen Schüler der Oberstufe und am Mittwoch ging die Schule dann richtig los. Und dafür war Debra auf gar keinen Fall bereit. Niemals. Sie konnte sich auf überhaupt nichts konzentrieren, geschweige denn den Mut aufbringen, wieder in die Schule zu gehen. Schon gar nicht nach diesem letzten Rückschlag.

Fiona setzte ein Lächeln auf und machte sich bereit, ins Wohnzimmer zurückzukehren. Es war wichtig, dass sie in Debras Gegenwart immer fröhlich und zuversichtlich blieb, hatte die Psychologin gesagt. Aber das war nicht so einfach.

»Das ist nichts!«, schrie Debra Lori an, als Fiona die Tür öffnete. »Ich hab's dir doch schon gesagt, das war Kipper, als ich heute Morgen mit ihm gespielt habe.«

»Was ist denn los?«, fragte Fiona. »Was ist passiert?«

»Nichts!«, kreischte Debra und zeigte mit dem Finger auf Lori. »Sie tut so, als wäre ich irgendwie durchgeknallt oder so. Sie behauptet, ich würde mich selbst schneiden.«

»Das habe ich nicht«, sagte Lori. »Ich habe nur ein paar Kratzer auf Debras Arm bemerkt, das ist alles.«

»Ach ja«, meinte Debra. »Und dann wolltest du mir nicht glauben, dass es Kipper war.«

»Ich habe nur gesagt, dass Kipper nie seine Krallen benutzt«, protestierte Lori.

»Darf ich mal?«, fragte Fiona. »Darf ich mir die Kratzer mal ansehen?«

»Nein!«, sagte Debra und stürmte aus dem Zimmer. »Nein, das darfst du nicht.«

»Das waren keine Kratzer von einer Katze, Mum«, sagte Lori und fing an zu weinen. »Was sollen wir denn nur tun, wenn sie jetzt anfängt, sich selbst zu verletzen?«

»Das wissen wir ja noch gar nicht mit Sicherheit«, versuchte ihre Mutter sie zu beruhigen.

»Aber ich weiß es«, sagte Lori. Oben hörte man schon wieder das Wasser rauschen. »Ich weiß, was ich gesehen habe. Zuerst dachte ich, es wäre vielleicht eine Reaktion auf das, was heute Nacht passiert ist, aber ein Teil der Kratzer sah schon älter aus. Sie wirkten schon fast verheilt. Es könnte also sein, dass sie das schon seit Tagen macht. Sich schneidet! Vielleicht sogar schon im Krankenhaus?«

»Ich weiß nicht«, sagte Fiona. »Das hätten wir doch bemerkt, oder? Aber es ist möglich. So wie sich Debra momentan selbst wahrnimmt, ist alles möglich. Jedenfalls ist es das, was die Psychologin eigentlich hinkriegen sollte. Debra von dieser verrückten Vorstellung abzubringen, dass das alles irgendwie ihre eigene Schuld ist. Aber ich bin nicht sicher, ob Debra ihr gegenüber wirklich offen ist. Ich weiß sogar genau, dass sie es nicht ist. Sie erzählt der Psychologin das, was die hören will. Ich meine …«

Der Klang der Türklingel unterbrach sie.

»Ich geh hin«, sagte Fiona. »Das ist bestimmt Omars Mutter. Sie hat ein paar Besorgungen für mich gemacht. Das wäre eigentlich gar nicht nötig gewesen, aber sie hat darauf bestanden. Alle sind so nett zu uns.«

Aber es war nicht Omars Mutter mit den Besorgungen. Es war jemand anderes. Jemand, mit dem Fiona nicht gerechnet hätte.

»Sie wollte mich heute Morgen nicht sehen«, berichtete Beth. »Und selbst Lori war nicht besonders gesprächig. Sie haben noch einen Anruf bekommen. Ganz spät gestern Nacht.«

»Was soll das heißen?«, fragte Tonyas Mutter. »Was für einen Anruf?«

»Sie glauben, dass es der Entführer war«, sagte Beth.

»Diesmal nicht von einem Handy, sondern aus einer Telefonzelle. Aber es war die gleiche Stimme.«

»Und was hat er gesagt?«, fragte Tonya. »Warum sollte er jetzt noch einmal anrufen? Jetzt, wo Debra wieder zurück ist.«

»Ich weiß nicht genau«, sagte Beth leise. »Aber er hat gesagt, er hätte Fotos. Scheußliche Fotos. Er sagte, er würde sie ins Internet stellen.«

»Oh mein Gott«, sagte Tonya.

»Aber vielleicht stimmt das ja gar nicht«, sagte Tonyas Mutter. »Vielleicht behauptet er das nur.«

»Oder vielleicht kam der Anruf überhaupt nicht von dem Entführer«, sagte Tonya.

»Das ist möglich«, sagte Beth. »Das war das Risiko, es im Fernsehen zu bringen. Dass irgendein anderer Verrückter sich da einklinkt und den Akzent nachmacht. Aber die Polizei glaubt das nicht. Sie wollten eine Wache vor dem Haus postieren, aber Debras Mutter wollte nichts davon wissen.«

»Ich weiß nicht, ob das klug ist«, meinte Tonyas Mutter. »Ich an ihrer Stelle würde rund um die Uhr jemanden dahaben wollen.«

»Sie behalten das Haus aber aus der Ferne unter Beobachtung«, sagte Beth. »Ich bin selbst an einem Polizeiauto vorbeigekommen, an der Ecke von Debras Straße. Und Lori sagt, dass sie Leute darauf angesetzt haben, das Internet zu kontrollieren, falls da jemand auftaucht.«

»Weiß Debra von dem Anruf und was der Anrufer gesagt hat?«, fragte Tonya.

Beth nickte.

»Sie war dabei, als er anrief, und ist total ausgeflippt, hat Lori gesagt. Sie stand einfach nur da und hat geschrien. Und sie wollte sich von niemandem in den Arm nehmen oder festhalten lassen. Sie duldet keinen in ihrer Nähe und lässt sich von niemandem berühren, nicht einmal von ihrer eigenen Mutter.«

»Und kann da keiner was machen?«, fragte Tonya hilflos. »Die Ärzte oder die Psychologin?«

»Es scheint immer schlimmer zu werden anstatt besser«, sagte Beth. »Und ich glaube, das Einzige, was wirklich helfen wird, ist, wenn sie ihn schnappen und einsperren. Und selbst dann weiß ich nicht, ob das ausreichen wird.«

»Ich muss immer wieder an diesen Anruf denken«, sagte Tonya. »An diesen anderen. ›Verabschieden Sie sich.‹ Irgendwie stimmte das sogar, oder? Es ist nicht wirklich Debra, die da zurückgekommen ist. Jedenfalls nicht die Debra, die wir kennen.«

Beth schüttelte den Kopf. Tonya hatte recht. Und wenn er immer weiter anrufen und sie damit quälen würde oder wenn er schreckliche Fotos ins Internet stellen würde, dann würde sie nie wieder gesund werden.

»Warum können sie ihn einfach nicht finden?«, sagte sie laut. »Es muss doch jemand sein, der an dem Abend in der Nähe war. Jemand, den wir alle kennen. Mir fallen massenweise Leute ein, die Gelegenheit dazu gehabt hätten. Und sogar ein Motiv. Aber keiner von denen ist gestört. Kein Einziger!«

Fiona starrte die Frau an, die vor ihrer Haustür stand.

»Ja, bitte?«, sagte Fiona.

»Ich muss mit Ihnen reden. Ich habe in Ihrem Büro angerufen, und dort sagte man mir, Sie wären nicht da.«

»Nein«, sagte Fiona. »Ich bin noch nicht zurück. Jedenfalls

nicht richtig. Sie müssen mit meinem Stellvertreter sprechen. Er kümmert sich um alles.«

»Es geht nicht um meinen Mann«, sagte Alice Hall. »Nicht wirklich. Kann ich reinkommen?«

Noch bevor Fiona sie daran hindern konnte, hatte sich Mrs Hall bereits an ihr vorbeigeschoben.

»Mum?«, sagte Lori und öffnete die Wohnzimmertür. »Was ist los?«

Fiona zuckte die Schultern, während Mrs Hall geradewegs ins Wohnzimmer marschierte und sich zu ihnen umwandte.

»Ich musste einfach kommen«, sagte sie. »Ich habe alles verfolgt. In den Zeitungen. Im Fernsehen. Ich habe sogar mitgeholfen, nach ihr zu suchen.«

»Vielen Dank«, sagte Fiona. »Aber ich weiß nicht …«

»Es hängt alles zusammen«, sagte Mrs Hall und ging dabei auf und ab, so wie sie es vor einiger Zeit in ihrem Büro getan hatte. »Und keiner unternimmt etwas dagegen.«

Fiona schaute sie verständnislos an. Mrs Halls Gesicht glühte. Ihre Haare standen wirr und zottelig ab, so als hätte sie sich seit Tagen nicht gekämmt.

»Das, was mit meinem Mann geschehen ist«, sagte Mrs Hall, »und das, was mit Debra geschehen ist. All das hängt zusammen. Wir leben in einer kranken Gesellschaft, Mrs Cardew. Durch und durch krank.«

»Hören Sie«, sagte Lori. »Es tut mir leid, aber meine Mutter kann so was momentan wirklich nicht brauchen.«

»Sie verstehen mich nicht«, entgegnete Mrs Hall. »Ich versuche doch nur zu helfen. Versuche, eine Erklärung zu finden. Wir sind besessen. Vollkommen besessen. Es ist überall. Überall.«

»Was ist überall?«, fragte Lori.

»Sex!«, rief Mrs Hall aus. »Pornografie! In den Zeitungen, im Fernsehen, im Internet. Man kann dem gar nicht entkommen. So ist auch James in diese Sache verwickelt worden. Er wollte es aufhalten. Wollte etwas dagegen unternehmen. Aber das konnte er nicht. Es hat ihn verleitet. Ihn verändert.«

»Das tut mir leid«, sagte Fiona. »Wirklich, aber ...«

»Und dann gehen sie abends aus, diese Teenies!«, fuhr Mrs Hall fort. »Eigentlich sind sie noch Kinder, aber wen schert's? Sie tragen Make-up, knappe Oberteile und kurze Röcke.«

»Moment mal«, sagte Lori. »Was sagen Sie da? Dass es Debras Schuld war, dass sie entführt wurde? Dass sie wie eine Nutte rumläuft? Dass wir uns nicht schön machen dürfen, wenn wir auf eine Party gehen?«

»Nein!«, sagte Mrs Hall. »Aber senden wir damit nicht falsche Signale aus? Erst Anglotzen, dann Anmachen, Geilheit ... Ist es überraschend, dass einige Männer da zu weit gehen? Ist es überraschend, dass sie nicht mehr aufhören können? Selbst in Ihrer eigenen Zeitung, Mrs Cardew, alles voller Sex, Sex, Sex.«

»In meiner Zeitung!«, sagte Fiona. »Das ist doch nur eine lokale Abendzeitung. Eine Familienzeitung. Solche Inhalte haben wir doch gar nicht.«

»Sehen Sie selbst«, sagte Mrs Hall und zog ein paar ausgerissene Zeitungsseiten aus der Tasche und knallte sie auf den Tisch.

»Das ist über eine Kunstausstellung«, sagte Fiona nach einem Blick auf den ersten Artikel. »Wir haben über eine Kunstausstellung berichtet. Bilder gezeigt. Und die hat Tim sogar nur ganz aus der Ferne aufgenommen, damit sie nicht zu prominent im Bild stehen.«

»Nackte!«, keifte Mrs Hall. »Es sind und bleiben Nackte, ganz gleich aus welcher Entfernung sie fotografiert werden. Glauben Sie, dass nette, ordentliche, durchschnittliche Familien ihre Abendzeitung aufschlagen und so was sehen wollen?«

Lori versuchte, mit ihrer Mutter Blickkontakt aufzunehmen. Diese Frau war durchgeknallt. Ernsthaft durchgeknallt. Lori zog ihr Handy aus der Tasche. Es war Zeit, der Sache ein Ende zu bereiten, aber ihre Mutter schüttelte den Kopf.

Mrs Hall wühlte durch die Zeitungsausschnitte.

»Und das hier!«, sagte sie.

Fiona und Lori schauten auf das Bild einer Frau in schwarzem Spitzen-BH und -Höschen.

»Das ist eine Werbeanzeige«, erläuterte Fiona. »Für Damenwäsche. Das ist ganz harmlos und völlig in Ordnung. Und selbst wenn es das nicht wäre, kann ich Anzeigen nicht zensieren.«

»Nein«, sagte Mrs Hall. »Keiner zensiert heutzutage noch irgendetwas. Das ist ja das Problem. Schauen Sie sich das Internet an. Pop-ups, die für Pornoseiten werben, E-Mails über Penisvergrößerungen, Websites, die Kannibalismus und Selbstmord propagieren. Die übelsten Perversionen. Kranke Fantasien. Fantasien, die dann außer Kontrolle geraten und Realität werden. Schauen Sie sich nur diesen Fall von Kannibalismus in Deutschland an. Und den Mann, der den Leichnam einer Frau in seinem Gartenschuppen aufbewahrt hat. Sie haben beide zuvor ihre Fantasien mit Bildern aus dem Internet gefüttert. Das haben sie zugegeben. Ja, sie waren geradezu stolz darauf!«

Lori stand noch immer mit dem Handy in der Hand da. Jetzt hatte Mrs Hall komplett die Kontrolle über sich verloren. Sie fuchtelte herum und zitierte laut ein Beispiel nach dem anderen. Aber Fiona war sich noch immer nicht sicher, ob sie wollte, dass Lori die Polizei rief. Ein Teil von ihr hatte Mitleid mit Mrs Hall und konnte inmitten des konfusen Geredes den einen oder anderen Punkt sogar nachvollziehen. Natürlich nicht soweit es ihre Zeitung betraf, aber vielleicht in Hinsicht auf die Boulevardpresse und das Internet.

»Und das hier«, sagte Mrs Hall und schob ihr noch ein Blatt Papier entgegen.

Fiona blickte mit Tränen in den Augen darauf. Da gab es nichts, was irgendwie schlüpfrig oder anrüchig gewesen wäre. Es war nur eine Gruppe von jungen Leuten, die sich über ihre bestandene Abschlussprüfung freuten. Tonya, Beth, Omar und ganz vorne Debra. Die glückliche, unbeschwerte Debra, die jetzt kaum noch existierte.

»Das ist ja lächerlich«, sagte Lori. »Sie können doch nicht ernsthaft glauben, dass so ein Bild irgendetwas mit all dem zu tun hat, wovon Sie eben gesprochen haben. Was sich Ihr Mann angeschaut hat. Was er sich anschauen *wollte*. Und das Einzige, was Sie damit erreichen wollen, ist, meiner Mutter die Schuld in die Schuhe zu schieben, nicht wahr? Oder ihrer Zeitung. Oder dem Internet. Oder der Gesellschaft. Um ihn zu entschuldigen. Denn es geht Ihnen doch nur um ihn, oder? Um Ihren Mann, den Perversling. Es geht Ihnen nicht um Debra. Was mit ihr passiert ist, ist Ihnen ganz egal.«

»Es ist mir nicht egal«, entgegnete Mrs Hall. »Ich versuche nur, Ihnen klarzumachen, wie ein Mensch, ein ganz normaler Mensch, diese Dinge sehen und Schlüsse daraus ziehen könnte. Die falschen Schlüsse.«

Sie hielt inne, und alle drehten sich um, als sie ein leises Geräusch, ein Keuchen hörten. Sie sahen Debra in der Tür stehen. Sie schwankte und blickte starr mit weit aufgerissenen Augen vor sich hin, bevor sie zusammenbrach.

Lori und ihre Mutter stürzten zu Debra und knieten sich neben sie. Dabei hatten sie kaum einen Blick für Mrs Hall übrig, als diese sich an ihnen vorbeidrängte.

»Tut mir leid«, stammelte sie. »Ich wollte nicht … ich dachte nicht … ich wollte nur … Es tut mir leid. Es tut mir so leid. Ich gehe jetzt. Ja, ich gehe jetzt. Ich muss weiter. Entschuldigen Sie.«

»Ruf bei der Ärztin an«, wies Fiona Lori an, nachdem sie die Tür hinter Mrs Hall hatten zuschlagen hören. »Und geh und hol deinen Vater. Debra? Alles okay, Debra?«

Debra stöhnte, als sie langsam wieder das Bewusstsein erlangte. Sie schob ihre Mutter beiseite und lag dann eine Weile ganz still da.

»Sie hat das nicht so gemeint«, sagte Fiona, die sich nicht sicher war, wie viel Debra mit angehört hatte. »Sie wollte dir keine Schuld geben. Es hatte nichts damit zu tun, wie du angezogen warst oder was du getan hast. Es war nicht deine Schuld, Debra. Nichts davon war deine Schuld.«

»Dieser Geruch«, murmelte Debra.

»Geruch?«, fragte ihre Mutter und schnüffelte automatisch in die Luft. »Welcher Geruch?«

»Der Geruch«, sagte Debra und zog sich zum Sitzen hoch. »Ich kann ihn noch immer riechen. Diese Frau. Wer war das?«

»Alice Hall«, sagte Fiona. »Warum? Ich kann nichts riechen. Ich habe keinen Geruch bemerkt.«

»Ich schon«, sagte Lori, die gerade mit ihrem Vater zurückkam. »Gleich als sie reinkam! Irgendwie durchdringend, aber angenehm. Es roch ungewöhnlich. Nach Kräutern.«

»Ich erinnere mich daran«, sagte Debra und kniff die Augen fest zusammen. »Ich weiß es genau. Wo immer ich war, was immer da mit mir passiert ist, da war dieser Geruch.«

Ganz instinktiv streckte Fiona die Hand aus, aber bei der ersten Berührung zog Debra sich zurück.

»Die Ärztin ist schon unterwegs«, sagte Lori, als sie sah, dass Debra die Arme um sich schlang und anfing, vor- und zurückzuschaukeln.

Fiona kniete sich neben ihre Tochter, so nahe wie Debra es zuließ.

»Bist du sicher?«, fragte sie. »Mit dem Parfüm?«

»Wir sind alle davon ausgegangen, dass es ein männlicher Entführer ist«, sagte Robert. »Aber vielleicht war es ja gar kein Mann? Wenn Debra sich an Parfüm erinnert?«

»Nicht einfach irgendein Parfüm«, sagte Lori schaudernd, »sondern genau ihres! Das von Mrs Hall. Was ist, wenn sie die Entführerin ist? Verrückt genug ist sie auf jeden Fall. Sie ist mit einem Arzt verheiratet, oder? Dann hat sie vermutlich auch ein bisschen Ahnung von Drogen.«

Fiona zog ihr Handy hervor. Sie mussten die Polizei informieren, das stand fest. Aber dass Alice Hall die Entführerin sein sollte, erschien ihr dennoch fast unmöglich.

»Sie war auch da an dem Abend, nicht wahr?«, sagte Lori. »Im *Lion*. Und ihre Stimme ist gerade tief genug ... dass es die Stimme des Anrufers sein könnte.«

Fiona nickte und wählte die Nummer.

»Aber die Polizei hat doch bereits mit ihr gesprochen«, sagte Fiona. »Das wisst ihr doch. Sogar mehr als einmal. Sie hat auf dem Rückweg von einem Besuch bei ihrem Mann kurz beim *Lion* angehalten und mit ihrer Schwägerin eine

Kleinigkeit getrunken. Dann sind sie direkt nach Hause gefahren und haben das Haus nicht noch einmal verlassen. Ihre Schwägerin ist über Nacht geblieben. Also hat Alice ein Alibi.«

»Es sei denn, ihre Schwägerin hätte für sie gelogen«, wandte Robert ein.

Plötzlich war ein Stöhnen von Debra zu hören. Ein Stöhnen, das sich zu einem Schrei steigerte, bis sie aufstand und aus dem Zimmer rannte.

Kapitel 11

»Was ist passiert?«, fragte Tonya.

»Sie hat eine Überdosis genommen«, flüsterte Beth. »Valium. Paracetamol. Dann hat sie sich im Badezimmer eingeschlossen und ...«

»Oh nein!«, sagte eine Stimme hinter ihnen.

Beth wandte sich um und bemerkte Simon.

»Wie geht es ihr?«, fragte er. »Ist sie okay? Sie ist doch nicht ...«

»Sie ist im Krankenhaus«, sagte Beth, überrascht von seinem plötzlichen Gefühlsausbruch.

»Nicht Debra!«, sagte Tonya, die das Missverständnis schneller bemerkte als Beth. »Wir sprechen nicht über Debra! Ich meine, wir würden ja wohl nicht hier rumstehen, wenn es um Debra ginge!«

»Um wen dann?«, wollte Simon wissen.

»Alice Hall«, sagte Beth leise. »Die Polizei hat sich bei ihr gemeldet, um sie zu vernehmen, und hat sie ohnmächtig vorgefunden. Sie mussten zwei Türen aufbrechen, um zu ihr vorzudringen.«

Beth sprach mit gedämpfter Stimme, aber sie hätte sich keine Sorgen zu machen brauchen. Der Flur lag geradezu unheimlich still und leer da. Nur die neuen Schüler und die Schüler der Oberstufe waren heute da, denn der eigentliche Schulanfang war erst morgen.

»Wer ist Alice Hall?«, fragte Simon völlig verwirrt.

Beth erklärte es ihm, soweit sie es selbst wusste.

»Du willst also sagen, dass diese Frau die Entführerin sein könnte?«, fragte Simon. »Dass sie Debra entführt haben könnte, um sich an Mrs Cardew zu rächen? Weil sie Artikel über Dr. Hall in ihrer Zeitung veröffentlicht hat?«

»Ich habe nur gesagt, dass Debra meinte, das Parfüm zu erkennen, das ist alles«, sagte Beth. »Die Polizei überprüft das jetzt. Aber das hat nichts zu sagen. Sie überprüfen massenweise Spuren. Gehen alle Aussagen noch einmal durch. Sprechen wiederholt mit Leuten. Zum Beispiel mit denen, deren Handys gestohlen wurden. Und Lori hat gesagt, sie haben auch noch mal mit Tim Simmonds gesprochen. Weil er doch Fotograf ist, weißt du. Wegen der Bilder, die der Entführer ins Internet stellen wollte.«

»Ja«, sagte Simon, obwohl er den letzten Teil völlig zu überhören schien. »Aber warum würde diese Mrs Hall eine Überdosis nehmen, wenn sie unschuldig wäre?«

»Woher soll ich das denn wissen«, erwiderte Beth scharf. »Ich bin kein Kommissar und du auch nicht.«

Sie schüttelte den Kopf, während Simon rot wurde und den Blick abwandte.

»Tut mir leid«, sagte sie.

»Schon gut«, murmelte Simon. »Übrigens bin ich eigentlich gekommen, um euch zu holen. Mrs Kay gibt im Aufenthaltsraum eine Einführung.«

Beth hatte keine große Lust, sich jetzt viel Gerede anzuhören, aber sie folgte Simon dennoch. Später sollten sie sich für alle möglichen Arbeitsgruppen und andere Oberstufen-Wahlkurse eintragen und den neuen Schülern der 7. Klasse helfen, sich in der Schule zurechtzufinden. Alles Dinge, auf die sie sich einmal gefreut hatte, die ihr jetzt aber einfach nur egal waren.

Fiona lag wach und horchte auf das Schnarchen ihres Mannes. Wie konnte er nur so rasch einschlafen? Sie wusste allerdings, dass es nicht von Dauer sein würde. Gegen 3 Uhr früh würde er wach werden und herumlaufen, Tee trinken und im Internet nachsehen, ob irgendetwas hineingestellt worden war. Obwohl er genau wusste, dass die Polizei jede Minute eines jeden Tages überwachte. Robert war am Vormittag für ein paar Stunden zur Arbeit gegangen, hatte sich aber, wie er sagte, nicht konzentrieren können, sodass der Direktor ihm schließlich vorgeschlagen hatte, er solle doch nach Hause gehen.

Nicht dass er dort viel ausrichten konnte. Debra war müde und lustlos gewesen. Sie wusch und duschte sich jetzt nicht mehr so oft, schlief aber viel. Und die Zeit, in der sie wach war, verbrachte sie damit, aus dem Fenster zu starren, als würde sie auf jemanden warten.

Was Mrs Hall anbetraf, gab es nicht viele Neuigkeiten. Die Polizei hatte mit ihr sprechen können, aber nur ganz kurz, da es ihr noch zu schlecht ging. Ihr Mann, der immer noch in Untersuchungshaft saß, hatte unter polizeilicher Bewachung aus dem Gefängnis herausgedurft, um sie zu besuchen. Und mit seiner Hilfe hatten sie von ihr erfahren können, was für einen Duft sie trug. Es war eigentlich gar kein Parfüm. Es war ein Duschgel und Talkumpuder, die eigentlich beide Dr. Hall gehörten und die seine Frau benutzt hatte, weil sie nun mal da waren. Weil es ihr ziemlich egal war, womit sie sich wusch.

Aus irgendeinem Grund gab die Polizei aber nicht bekannt, um was für ein Produkt es sich genau handelte. Vielleicht wollte man später Tests mit Debra durchführen und sehen, ob sie den Duft unter anderen erkennen konnte? Sie hatten bislang nur gesagt, dass es ziemlich weit verbreitet war. Teil einer Serie von Eau de Cologne, Rasierwasser, Deos und Seifen. Ein Produkt, das jede Menge Leute benutzen konnten. Was nutzte also diese Erkenntnis?

Man konnte ja noch nicht einmal mit Sicherheit davon ausgehen, dass Debras Erinnerung korrekt war. Es war möglich, dass sie diesen Geruch irgendwann an jenem Samstagabend gerochen hatte. Oder vielleicht erst im Krankenhaus, während sie immer wieder kurzzeitig das Bewusstsein erlangt hatte. Oder überhaupt nicht. Sie könnte den Geruch mit einem ähnlichen Kräuterduft verwechselt haben.

Man konnte schließlich niemanden auf Grundlage einer diffusen Erinnerung verurteilen. Mrs Hall bestritt natürlich, mit der Sache zu tun zu haben, und eine Durchsuchung ihres Hauses hatte auch nichts zutage gefördert. Aber auf der anderen Seite waren auch keine Fotos im Internet erschienen, während sie im Krankenhaus war. Ganz zu schweigen von der Tatsache, dass die Polizei noch einmal mit Mrs Halls Schwägerin gesprochen hatte und diese ihre Aussage offenbar revidieren wollte.

Als das Telefon auf dem Nachttisch klingelte, krampfte sich Fionas Magen zusammen. Sie warf einen Blick auf die Uhr und streckte die Hand über ihren Mann hinweg aus. 0.35 Uhr.

Sie war zu langsam. Robert hatte bereits abgenommen.

Er hatte wohl doch nicht so tief geschlafen, wie sie gedacht hatte.

»Der Alarm bei dir im Büro ist losgegangen«, murmelte er und reichte ihr den Hörer.

Fiona seufzte. Das passierte immer wieder. Sie hatten eine Hightech-Alarmanlage, die Eindringlinge hervorragend abwehrte, die aber ebenso leicht durch eine vorbeilaufende Katze ausgelöst werden konnte. Fiona war offiziell noch immer krankgeschrieben, es war also nicht ihre Aufgabe, sich darum zu kümmern, andererseits, warum sollte sie noch jemanden aufwecken, wo sie doch ohnehin nicht schlafen konnte?

»Also gut«, sagte sie zu dem Mitarbeiter des Wachdienstes. »Ich kümmere mich darum.«

»Sei vorsichtig«, sagte Robert wie immer, wenn sie mitten in der Nacht hinausgerufen wurde.

Nicht dass es wirklich Grund zur Sorge gegeben hätte. Es ging einfach nur darum, dass sie ins Büro fuhr, den Alarm abschaltete und wieder neu einstellte. Da würde kein Einbrecher sein. Da war nie einer.

Diesmal ist es kein Bluff. Ich hab die Fotos. Und ich werde sie benutzen. Wann ich will. Sobald sich mir die Gelegenheit dazu bietet. Warum auch nicht? Sie sind zwar bei Weitem nicht so schlimm, wie ich behauptet habe, aber warum nicht? Ich werde ein paar ins Internet stellen und vorgeben, sie würden nach und nach immer schlimmer werden. Das sollte ihnen genügend Angst einjagen.

Das Problem ist, dass ich echt vorsichtig sein muss. Aber ich kenne mich mit Computern aus, und ich glaube, ich hab einen Weg gefunden, wie ich es anstellen kann, ohne dass sie mir auf die Schliche kommen. Aber man kann heutzutage so viel machen. So vieles zurückverfolgen. Sie nehmen an, dass ihnen all die schweren Pornotypen bald ins Netz gehen. Sie sagen, dass im Laufe des nächsten Jahres oder so mit Tausenden von Verhaftungen zu rechnen ist. Es hört sich so an, als würden die Gefängnisse bald überquellen. Auch mit Hackern. Die haben es auch nicht mehr so leicht. Aber es gibt immer Wege, wie man das System austricksen kann, wenn man nur schlau genug ist. Und das bin ich ganz klar.

Ich frage mich allerdings doch, ob ich nicht ein wenig übertrieben habe bei dem Versuch, alle von meiner Spur abzulenken. Mich dünkt, die Person gelobt zu viel. Oder so. Das ist Shakespeare. Hamlet – oder doch Macbeth? Egal. Ich glaube, ich hab das Zitat sowieso nicht ganz richtig. Und darum geht es ja auch gar nicht. Es geht um …

Ich weiß es nicht. Habe keine Ahnung. Mir schwirrt der Kopf. Ganz zu schweigen von meinem Bauch. Ich fühle mich gar nicht gut. Ich war wieder unvernünftig. Hab's übertrieben. Aber jetzt ist ja keiner mehr da, der mir sagt, ich sollte aufhören. Keiner, der mir hilft, die Bremse anzuziehen. Keiner, der mich anmeckert. Also bin ich wieder zugange. Und schalte in den Selbstzerstörungsmodus. Genau in dem Moment, wenn ich eigentlich einen klaren Kopf bräuchte. Weil sie etwas weiß. Sie weiß eindeutig etwas. Aber wie viel?

Oh Gott, mein Kopf ist wirklich alles andere als klar. Ich komme ganz durcheinander, was ich zu wem gesagt habe. Und was ich gehört habe. Der Duft! Warum sollte sich Debra ausgerechnet an einen Duft erinnern? Daran hatte ich überhaupt nicht gedacht. Aber ich hätte es bedenken müssen. Ich hätte vorsichtiger sein sollen. Kann sie sich richtig daran erinnern? Wird sie es bei einem Test herausfinden können? Wird sie die Wahrheit erkennen, wenn sie buch-

stäblich mit der Nase darauf gestoßen wird? Komisch eigentlich. Der Duft heißt Truth. Truth wie Wahrheit. Truth von Calvin Klein. Nicht mein Standardduft, aber den hatte ich benutzt. Aber das ist ja egal. Völlig nebensächlich, oder? Es muss Dutzende von ähnlichen Produkten geben. Das ist kein echter Beweis, oder? Und außerdem gibt es nichts, was ...

Nichts? Was? Was hab ich da gedacht? Ich weiß es nicht. Alles gerät schon wieder so durcheinander. Diese jüngsten Entwicklungen haben mich ganz durcheinandergebracht. Und wer weiß, was ich vielleicht sage oder tue, wenn ich so durcheinander bin. Am Ende verrate ich noch etwas. Weil, da ist ja noch so eine Sache. Es ist komisch. Ich kapier's nicht. Aber ein Teil von mir will am liebsten alles verraten. Es herausbrüllen. Allen erzählen, was ich getan habe und warum. Mein schlechtes Gewissen? Ich glaube nicht. Weil es alles nicht meine Schuld war. Nicht wirklich. Ein Hilferuf? Wohl kaum. Ich brauche doch keine Hilfe. Mir geht's bestens. Ich habe kein Problem.

Fiona kontrollierte die Vordertür des Büros. Alles in Ordnung. Keinerlei Anzeichen, dass die Tür geöffnet worden war, weder aufgebrochen noch sonst etwas. Auf der anderen Straßenseite verlangsamte ein Pärchen seinen Schritt, horchte auf die lärmende Sirene und fragte sich, was wohl passiert war, bevor es weitereilte. Welchen Sinn hatte es, dachte Fiona, Gebäude oder Autos mit Alarmanlagen auszustatten, wenn sich ohnehin keiner darum kümmerte? Früher hatten sie einen Nachtwächter gehabt, aber der war einer der vielen Runden mit Stellenkürzungen zum Opfer gefallen. Und so mussten sie sich alle paar Wochen mit so etwas hier herumschlagen.

Sie ging nach hinten herum. Warf einen Blick auf die Tür, stutzte und schaute noch einmal. War es nur Einbildung oder war die Tür nicht richtig geschlossen? Sie gab ihr einen kleinen Schubs und sie ging auf. Aber sie war nicht aufgebrochen worden. Das Schloss war intakt.

Es war möglich, dass einer der Journalisten noch spät einen Bericht schreiben wollte und dazu ins Büro gekommen war. Aber wenn er seine Schlüsselkarte verwendet hätte, wäre der Alarm nicht losgegangen. Und wenn er es irgendwie geschafft hatte, den Alarm auszulösen, während er sich im Gebäude befand, warum hatte er ihn dann nicht einfach ausgeschaltet?

Sie trat einen Schritt zurück, blickte nach oben und sah Licht in einem der Büros im zweiten Stock. Kollege oder Einbrecher? Sie sollte lieber kein Risiko eingehen. Sie würde die Polizei anrufen. Okay … und dann als Nächstes den Alarm abstellen. Der Lärm machte sie wirklich ganz verrückt.

Die Hintertür öffnete sich in einen schmalen Flur, der geradeaus zum Treppenhaus führte und in dem sich gleich rechts der Alarm befand. Es war ein altes Gebäude, feucht, kalt und ziemlich dunkel, selbst jetzt noch, nachdem sie das Licht angeschaltet hatte. Plötzlich überlief Fiona ein Schauer, während ihre Finger mit dem Sicherheitscode der Alarmanlage beschäftigt waren. Sie hatte das verrückte Gefühl, jemand würde sie beobachten. Sie schaute sich um. Nichts. Sie schaute die Treppe hinauf. Nichts.

Einbildung, schalt sie sich selbst, als es ihr endlich gelang, den Alarm abzustellen. Sie hatte das schon Dutzende von Malen gemacht, ohne einen einzigen Gedanken darauf zu verschwenden. Aber nach dem, was mit Debra passiert war, war sie schreckhaft und ängstlich. Ihr kamen alle möglichen

Gedanken. Ob wohl jemand absichtlich den Alarm ausgelöst hatte, um sie hierherzulocken?

So verrückt dieser Gedanke auch war, sie beschloss doch, sich nicht länger hier aufzuhalten. Sie würde bis zum Eintreffen der Polizei im Auto warten und vielleicht Robert anrufen. Dann konnte sie mit jemandem sprechen und sich von ihren wilden Fantasien ablenken. Aber der Lärm, der plötzlich direkt über ihr ertönte, war ganz eindeutig keine Einbildung.

Sie schaute nach oben und erkannte gerade noch eine Gestalt am oberen Ende der Treppe, bevor diese ins Schwanken geriet und heruntergestürzt kam.

Debra schwebte wieder. Aber diesmal war es kein sicheres Gefühl. Es fühlte sich wackelig und unheimlich an, so als könnte sie jeden Augenblick abstürzen. Aber sie musste hier oben bleiben und das Mädchen dort unten beobachten. Sie musste versuchen, die Details zu erkennen. Den Raum, die Garage, das Lager, was immer es war. Sie wusste, dass sie träumte. Sie wollte träumen. Weil sie nur in ihren Träumen der Wahrheit näher kam. Und selbst das war nicht nahe genug. Alles war so undeutlich, wie im Nebel. Nichts wollte sich deutlich zeigen. Manchmal hörte sie, wie eine Tür geöffnet wurde. Manchmal sah sie sogar eine Gestalt, die aber niemals genauere Form annahm oder ihr ein erkennbares Gesicht zeigte.

Es musste doch da sein. Irgendwo in ihrem Kopf. All diese Erinnerungen. All die Informationen. Wenn sie nur lange genug hier oben bleiben konnte, würde sie schon etwas sehen. Einen Hinweis. Oder vielleicht wollte sie es gar nicht. Wollte nichts sehen. Vielleicht wusste sie es bereits, aber wollte den

Gedanken nicht zulassen. Darum war sie hier oben! Entrückt. Weit entfernt. Zu weit von sich selbst. Natürlich, so würde sie es nie sehen können! Sie musste zurückkehren. Wieder Debra sein. Fühlen, was sie gefühlt hatte. Sehen, was sie gesehen hatte. Dem Schmerz ins Gesicht sehen. Allem ins Gesicht sehen.

Tu's, Debra. Tu's jetzt. Lass dich heruntersinken. Langsam. Vorsichtig. Hab keine Angst. Geh dort runter zu ihr.

»Nein! Nicht. Tu mir nichts. Bitte, tu mir nichts.«

Es ist nicht echt, Debra. Es ist nicht mehr echt. Schieb es nicht weg. Hol die Gestalt zu dir her. Hol sie zurück. Hör das Atmen. So nah. Noch näher. Siehst du die Gestalt, die sich da über dich beugt? Und da ist der Geruch. Da ist wieder der Geruch.

»Lass mich in Ruhe! Fass mich nicht an!«

Hör auf, Debra. Hör auf, dagegen anzukämpfen. Öffne dich. Öffne deine Augen. Sieh es dir an. Sieh das Gesicht. Du *hast* es gesehen, Debra. Das weißt du. Schau noch einmal hin. Nur einen kurzen Blick. Du weißt, wer es ist.

Die leichte Berührung von eiskalten Fingern auf ihrem Arm. Debra öffnete die Augen, sah die Gestalt, die sich über sie beugte, und schrie.

»Debra!«, sagte Robert Cardew und schaltete das Licht ein. »Debra, bist du …«

»Es tut mir leid«, sagte Lori, nachdem sich Debras Augen an das grelle Licht gewöhnt hatten und ihr Schreien verstummt war. »Es tut mir leid. Ich bin aufgewacht, als das Telefon klingelte. Dann hab ich gehört, wie Mum weggefahren ist.«

»Mal wieder die Alarmanlage«, sagte ihr Vater.

Lori nickte.

»Dann hab ich gehört, wie Debra gerufen hat, und bin in ihr Zimmer gegangen. Sie hat um sich geschlagen und gerufen. Ich wusste nicht, was ich tun sollte. Ob ich sie aufwecken sollte. Es tut mir leid, Debs. Ich wollte dir keine Angst einjagen, Debra. Debra, ist alles okay mit dir?«

Debras Augen flackerten und verdrehten sich nach hinten. Die Farbe wich aus ihrem Gesicht, als würde sie jeden Moment ohnmächtig werden.

»Ich glaube, ich weiß es«, sagte sie leise. »Ich glaube, ich weiß, wer es war.«

Kapitel 12

»Oh nein!«, murmelte Fiona, während sie sich neben Tim kniete und versuchte, den scharfen Glassplittern auszuweichen, die ihn umgaben.

Sie wusste nicht mehr, wie es ihr gelungen war, der fallenden Gestalt auszuweichen, aber sie hatte es geschafft. Instinktiv. Und sein Sturz war durch nichts aufgehalten worden. Auf seiner Stirn schwoll rasch eine dicke Beule, seine rechte Hand blutete, wo sie von der Flasche aufgeschnitten worden war, und sein linker Arm lag seltsam verdreht unter ihm. Sollte sie versuchen, ihn zu bewegen? Nein. Es war das Beste, auf den Notarzt zu warten. Der musste jeden Augenblick hier sein. Und die Polizei. Wo blieben die nur? Es schien eine Ewigkeit her zu sein, dass sie dort angerufen hatte.

Tim stöhnte. Es war der erste Laut, den er seit seinem Sturz von sich gegeben hatte.

»Alles wird gut«, sagte sie.

Die gleichen bedeutungslosen Worte, die sie zu Debra gesagt hatte.

»Bleib einfach still liegen«, sagte sie und musste angesichts des allgegenwärtigen Whisky-Gestanks einen Würgreiz unterdrücken.

Sie kniete in einer Pfütze des Zeugs und überlegte, wie viel er wohl getrunken haben mochte. Was hatte diesen Rückfall bei ihm ausgelöst? Wie lange war er schon im Büro gewesen? Wie viele Flaschen würden sie oben finden?

»Nixxisgutt«, brachte er hervor. »Garnixxisgutt.«

»Schhh«, beruhigte sie ihn.

»Nein«, sagte er. »Dukapierssnich …«

Sein undeutliches und genuscheltes Gerede war tatsächlich nicht zu kapieren. Fiona hörte kaum hin, sondern konzentrierte sich darauf, die Blutung an seiner Hand zu stoppen. Dabei ließ sie ihn einfach weiter in seiner sturzbetrunkenen Umnachtung vor sich hin brabbeln. Bis ein Wort, ein Name, ihre Aufmerksamkeit erregte.

»Was?«, sagte sie.

»Debra«, sagte er. »Erinnert sich. Musssicherinnerrn. Debraweissbescheid.«

»Was weiß sie?«, fragte Fiona.

Tim starrte sie mit blutunterlaufenen Augen an, aus denen Tränen quollen.

»Ich«, sagte er und schloss dabei die Augen. »Ichwars.«

»Was warst du?«, fragte sie wieder und schob stützend eine Hand unter seinen Kopf. »Was sagst du da?«

»Tablenn«, nuschelte er, öffnete kurz die Augen, die aber sogleich wieder zufielen.

Quälend langsam kamen die Worte aus seinem Mund, während er endgültig das Bewusstsein verlor.

»Ich … hab … ihr … ich … war's.«

Sein Kopf schlug auf den kahlen Boden, als Fiona ihn fallen ließ. Ihre Augen blieben kurz an der zerbrochenen, scharfkantigen Whiskyflasche hängen, die neben seiner Hand lag. Sie ergriff sie beim Aufstehen, taumelte zurück, um nicht mehr in seiner Nähe sein zu müssen. Schaute wieder auf die Flasche. Hätte sie ihm am liebsten ins Gesicht geschlagen, geschnitten, zerfetzt, zerfleischt. Sie konnte sich nicht länger zurückhalten, stürzte nach vorn, fühlte, wie ihr Arm nach unten schlug, um genau im selben Moment gepackt und nach hinten gezogen zu werden.

»Ich will das nicht«, sagte Debra, während die Ärztin die Beruhigungsspritze vorbereitete. »Wo ist Mum? Warum ist sie noch nicht zurück? Ich will, dass Mum kommt. Ich will es ihr sagen.«

»Sie ist bald wieder da«, sagte Lori und setzte sich aufs Bett neben Debra. »Und jetzt, bitte, Debra, lass dir das Beruhigungsmittel geben. Du brauchst Schlaf. Richtigen Schlaf.«

Debra nickte und Lori umarmte sie, bevor sie aufstand, um der Ärztin Platz zu machen. Es war nur eine kurze Umarmung, aber Debra war nicht zusammengezuckt, hatte nicht aufgeschrien oder versucht, sich herauszuwinden, das war immerhin ein Fortschritt, nicht wahr? Das, und die Tatsache, dass Dad ihre Hand hatte halten dürfen, während sie auf die Ärztin gewartet hatten.

Sie hatten ein etwas schlechtes Gewissen, dass sie die Ärztin mitten in der Nacht geholt hatten. Denn sie hatten zunächst gedacht, Debra würde eine Art Anfall bekommen, doch dann hatte sie sich beruhigt, und als die Ärztin schließlich eintraf, ging es ihr gut. Sie war nur vollkommen ausgelaugt und erschöpft. Aber ihre Stimmung war so gut wie noch nie, seit sie wieder nach Hause gekommen war.

Sie konnte sich nicht wirklich an etwas Genaues erinnern. Kein Name, kein Gesicht, nichts Konkretes. Aber sie war nahe dran gewesen, meinte sie. So nahe, dass sie jetzt wusste, dass es die Erinnerung gab. So nahe, dass sie jetzt glaubte, herankommen zu können. Vielleicht mithilfe von Hypnotherapie.

Das allein war ein Fortschritt. Wenn zuvor das Wort Hypnose gefallen war, war Debra völlig ausgeflippt und hatte gesagt, sie wolle nicht noch einmal, dass jemand sie manipulierte und in ihrem Kopf herumpfuschte. Außerdem meinte sie, es hätte keinen Zweck. Da war nichts. Da gab es nichts zu finden. Jetzt wirkte sie plötzlich so viel zuversichtlicher, konnte den Dingen so viel selbstbewusster entgegentreten. Wild entschlossen, die Erinnerungen aus den tiefsten Tiefen hervorzuziehen.

»Halten Sie das für einen echten Fortschritt?«, fragte ihr Vater die Ärztin, als Debra bereits am Einschlafen war. »Oder sind es nur die Nachwirkungen dieses Traumes, den sie hatte? Glauben Sie, dass wir wieder von vorne anfangen müssen, wenn sie aufwacht?«

»Nein«, meinte die Ärztin. »Nicht nach dem, was Sie mir erzählt haben. Es ist noch immer sehr früh. Der Heilungsprozess kann Monate dauern. Manchmal sogar Jahre. Aber es sieht so aus, als hätte sie einen Anfang gemacht.«

Lori spürte, wie sich ein Lächeln auf ihrem Gesicht ausbreitete, während ihr Vater die Ärtzin nach draußen begleitete. Ein echtes Lächeln. Nicht das falsche, künstlich aufgesetzte, das sie sich alle in der letzten Zeit angewöhnt hatten, sondern ein echtes, das von innen kam. Sie fühlte sich auf geradezu lächerliche Weise glücklich. Fast überschwänglich. Das war vollkommen unangemessen, das wusste sie. Als hätte plötzlich jemand ein Ventil geöffnet, und die ganze Spannung, der ganze Schmerz der vergangenen Wochen strömte aus ihr heraus. Sie konnte es kaum erwarten, ihrer Mutter von der Umarmung zu erzählen!

Sie warf einen Blick auf die Uhr. Debra hatte recht. Ihre Mutter hätte längst wieder zurück sein sollen. Sie hörte, wie ihr Vater die Haustür schloss. Dann klingelte das Telefon.

Am Mittwoch, dem ersten richtigen Schultag nach den Ferien, war Robert Cardew nicht in der Schule, aber die Nachricht hatte sich dennoch verbreitet. Innerhalb von Sekunden nach ihrem Eintreffen war ein Dutzend Leute zu Beth gekommen, um ihr zu erzählen, was Lori ihr bereits am frühen Morgen am Telefon berichtet hatte. Es waren Neuigkeiten, die Beth nicht gerade überrascht hatten, die sie aber noch immer nicht ganz begreifen konnte.

»Sie haben ihn!«, verkündete jemand.

»Es ist dieser Fotograf, Tim Simmonds«, sagte ein anderer.

Woher wussten sie das?, fragte sich Beth. Wie konnten sich Neuigkeiten so rasch verbreiten? Im Radio hatten sie nur gesagt, dass ein Mann im Zusammenhang mit der Entführung von Debra Cardew verhaftet worden war. Kein Name war genannt worden und ganz bestimmt keine Details. Dennoch schienen alle genau über das Drama der vergangenen Nacht Bescheid zu wissen. Wie Tim vor Debras Mutter ein Geständnis abgelegt hatte, bevor er das Bewusstsein verloren hatte.

»Wie geht es Debra?«, fragte Tonya und zog Beth aus der Menge fort. »Wie hat sie es aufgenommen? Ich meine, sie mochte den Typ, oder? Sie hat ihm vertraut.«

»Sie weiß es noch gar nicht«, sagte Beth. »Der Arzt hat ihr ein Beruhigungsmittel gegeben und sie ist noch immer außer Gefecht. Ich hoffe nur, dass es keinen Rückfall auslöst, wenn sie es herausfindet. Lori ist anscheinend der Ansicht, dass Debra gestern Abend eine Art Durchbruch hatte.«

»Was für eine Art Durchbruch?«, fragte Tonya, als Beths Handy klingelte und sie unterbrach.

»Shit!«, sagte Beth und raste in den Aufenthaltsraum der Oberstufe.

Es war der einzige Ort, an dem sie ihre Handys benutzen durften.

»Hi«, sagte sie. »Ja. Ja, das stimmt. Ich weiß. Oh. Das tut mir leid. Ja, bestimmt.«

Beth hielt das Handy ganz eng ans Ohr gedrückt, warf einen Blick zu Tonya hinüber und schüttelte den Kopf.

»Ich weiß nicht«, sagte Beth. »Um wie viel Uhr? Ich glaube schon. Ich werd's versuchen. Ich bin sicher, dass sich das von ganz alleine klärt. Ja. Bis dann!«

Sie konnte nicht verhindern, dass ihr die Tränen in die Augen traten, als sie das Telefon ausschaltete und anfing, in ihrer Tasche nach dem Stundenplan zu kramen.

»Miriam?«, fragte Tonya.

Beth nickte.

»Du hast nicht zufällig in der letzten Stunde frei, oder?«, fragte Beth.

»Nein«, antwortete Tonya. »Ich hab den ganzen Nachmittag Chemie. Warum?«

»Miriam ist ein bisschen durcheinander«, sagte Beth. »Na ja, eigentlich mehr als nur ein bisschen. Die Möbelpacker müssen jeden Augenblick da sein und ihre Mutter hatte irgendeinen Zusammenstoß mit Eddie.«

»Mit Eddie?«, sagte Tonya. »Warum?«

»Ich weiß es nicht«, sagte Beth. »Ich habe allerdings auch schon neulich bei Miriams Party eine gewisse Spannung zwischen den beiden bemerkt. Miriam meinte, es hätte irgendetwas zu tun mit ihrem Onkel Gordon und der Zeit, in der Eddie auf Reisen war, aber sie weiß auch nicht genau, worum es geht. Ihre Mutter will es ihr nicht sagen, und dann hat sich ihr Vater auch noch auf Eddies Seite gestellt, was alles nur noch schlimmer macht. Er hat ihrer Mutter vorgeworfen, sie wäre völlig blind, was Gordon anbeträfe und ... jedenfalls sind sie vor lauter Streiterei nicht mit dem Packen vorangekommen und werden wohl nicht vor drei heute wegkommen. Ich hab also gesagt, dass ich noch mal vorbeikomme und sie besuche, bevor sie weg ist.«

»Dann grüß sie von mir«, sagte Tonya. »Sag ihr, dass ich hoffe, dass sich alles regelt. Und wünsch ihr viel Glück in der neuen Schule.«

Also gut. Es ist nicht so schlimm, wie es aussieht. Es ist nicht so schlimm, wie es aussieht. Ich muss einen klaren Kopf bewahren und den Mund halten. Wenigstens bis ich mir alles genau überlegt, es ausgearbeitet habe. Oder habe ich etwa schon zu viel gesagt? Nein. Es spielt ja auch keine Rolle, oder? Was ich gesagt habe? Es gibt keine echten Beweise. Das sage ich mir immer wieder. Dafür habe ich gesorgt. Also, Regel Nummer eins: Ganz gleich was man mich fragt: leugnen! Und das Opfer spielen. Empörte Unschuld und so weiter. Bei den Geschichten bleiben, die ich die ganze Zeit erzählt habe. Im allerschlimmsten Fall kann nur ihr Wort gegen meines stehen, oder? Und sie ist ja wohl kaum unbefangen, oder? Sie mochte mich noch nie. Das kann ich beweisen, wenn es sein muss. Aber vielleicht ist das ja gar nicht nötig. Vielleicht kommt es ja gar nicht so weit. Wenn ich ruhig bleibe. Ganz gleich was sie glaubt, gehört zu

haben, was sie zu wissen glaubt, das spielt doch keine Rolle,
oder?

Die Fotos sind sicher. Das ist schon mal gut. Keiner wird
jemals mein kleines Versteck finden. Und möglicherweise
kann ich sie doch noch mal gut gebrauchen. Sehr gut sogar.
Wenn ich vorsichtig bin und jetzt nicht ganz den Verstand
verliere. Da geht irgendetwas … etwas vor, was ich nicht
verstehe. Aber das kann ich für mich nutzen. Da bin ich
sicher.

Still vor sich hin fluchend, eilte Beth aus dem Schultor. Mr
Mason hatte sie im Gang abgefangen und stundenlang über
einen Fehler im Stundenplan gelabert und über Gruppen-
größen und so. Dass sie von Geschichte im Wahlblock 2 zu
Block 5 wechseln müsste, danach Literatur in 3 hätte und IT
auf den zweiten Block verschieben müsste. Als ob sie das
interessierte!

Dann fing er an, über ein Thema zu sprechen, das sie tatsächlich interessierte: Debra. Und sie fühlte sich verpflichtet,
stehen zu bleiben und seine Fragen zu beantworten. Und
jetzt war es schon fast halb vier, und obwohl Miriam gleich
um die Ecke wohnte, konnte es gut sein, dass sie sie verpasst
hatte.

Sie hatte sie verpasst. Sie konnte das Haus bereits sehen
und es standen keine Möbelwagen mehr davor. Auch keine
Autos. Sie ging dennoch hinüber. Falls eines der Autos doch
noch in der Garage stand. Falls doch noch jemand da war.

Das Garagentor war geschlossen, aber die Haustür stand
einen Spalt offen.

»Miriam?«

Keine Antwort.

154

Beth ging durch den leeren Flur und erschrak, als die Wohnzimmertür plötzlich aufging.

»Sorry«, murmelte Eddie. »Wollte dich nicht erschrecken. Du hast sie grade verpasst. Miriam und ihr Dad sind vor ein paar Minuten gefahren. Tante Jill schon früher. Noch vor den Möbelpackern. Ich wollte selbst gleich weg. Ich hab versprochen, den Schlüssel beim Immobilienmakler vorbeizubringen. Die neuen Leute kommen erst morgen.«

Das war eine ziemlich lange Rede für Eddie. Er sprach schnell und sah dabei so schüchtern und verklemmt aus wie immer. Beth fragte sich, ob er sich wohl mit Miriams Mutter versöhnt hatte, bevor sie weggefahren war, aber sie mochte nicht fragen.

»Wie geht's deiner Freundin?«, fragte er. »Wie geht es Debra?«

»Okay«, sagte sie. »Einigermaßen. Sie glauben, sie macht kleine Fortschritte.«

»Das ist gut«, sagte Eddie und lächelte. »Miriam hat sich wirklich Sorgen um sie gemacht. Ich meine, das haben wir alle. Aber wenigstens hat man ihn jetzt gefasst. Das ist ja wenigstens etwas.«

Beth nickte.

»Du siehst nicht so überzeugt aus«, sagte Eddie. »Du glaubst doch nicht, dass sie einen Fehler gemacht und den Falschen verhaftet haben, oder? Ich weiß, dass Miriam schockiert war. Sie hat immer wieder gesagt, sie könnte es nicht glauben.«

»Oh, ich kann es sehr wohl glauben«, blaffte Beth. »Die ganze Zeit, während Debra verschwunden war, musste ich immer wieder an ihn denken. Wie er sich ihr gegenüber in der Schule verhalten hatte. Irgendwie zudringlich und allzu vertraut. Und dann ist er ihr gegenüber so ausgetickt im Pub an dem Abend. Ich wusste, dass er es war. Ich wusste es die ganze Zeit. Ich hab sogar der Polizei gesagt, was ich dachte. Und jetzt denke ich nur die ganze Zeit, ich hätte mehr darauf bestehen sollen. Dann hätte man sie vielleicht früher gefunden. Und sie hätte vielleicht nicht erleiden müssen … was immer geschehen ist, was immer er getan hat, was immer er für ekelhafte, abartige Fotos gemacht hat.«

»Es war doch nicht deine Schuld!«, sagte Eddie. »Du hättest doch nichts daran ändern können, oder?«

»Ich glaube, doch«, sagte Beth. »Das ist ja das Problem. Wenn nicht mit Tim Simmonds, dann doch zuvor bei der Party. Ich hätte besser auf sie aufpassen sollen. Aber an so etwas denkt man einfach nicht, oder? Man glaubt einfach nicht, dass so was passiert.«

Eddie schüttelte den Kopf, und Beth wusste nicht so genau, warum sie ihm das alles erzählte. Gerade jetzt. Gerade ihm, den sie doch kaum kannte. Weil sie es einfach jemandem erzählen musste? Es musste wohl einfach raus.

»Tut mir leid«, sagte sie. »Ich bin einfach nur so sauer die ganze Zeit. Ich meine, ich weiß, dass er es gestanden hat und so, aber was ist, wenn er es wieder leugnet? Was können sie schon beweisen? Er war betrunken und hatte eine Gehirnerschütterung und wusste vielleicht nicht, was er sagte. Oder Mrs Cardew hat sich vielleicht verhört. Jeder anständige Anwalt könnte den Fall auseinandernehmen, oder?«

»Nicht wenn sie noch mehr Beweise finden«, meinte Eddie. »Vielleicht finden sie die Fotos, mit denen er gedroht hat. Das wäre doch möglich, oder?«

»Oder vielleicht kann man irgendeinen Bezug zu dem Duft herstellen, von dem Debra die ganze Zeit redet«, sagte

Beth. »Vielleicht benutzt er dasselbe Zeug wie Mrs Hall. Oder so was Ähnliches.«

»Mmmm«, meinte Eddie nachdenklich. »Das ist auch eine Möglichkeit.«

Aber noch während Beth das sagte, wurde ihr klar, dass irgendetwas nicht stimmte. Da passte etwas nicht zusammen.

»Was ist los?«, fragte Eddie.

Kapitel 13

»Seid ihr verrückt?«, schrie Debra. »Seid ihr alle vollkommen verrückt geworden? Tim Simmonds? Ihr glaubt, dass Tim Simmonds mich entführt hat? Mir so wehgetan hat? Mich fast umgebracht hätte! Niemals. Nie im Leben!«

»Ich weiß, dass es schwer ist«, sagte ihr Vater.

»Nein, nicht schwer!«, schrie Debra ihm entgegen. »Unmöglich. Absolut unmöglich.«

»Hör auf, Debra!«, sagte Lori. »Und hör zu!«

»Ich hab schon zugehört«, sagte Debra.

»Ich hab das nicht alleine gehört«, sagte ihre Mutter ruhig. »Er hat es noch einmal gesagt, als er im Krankenhaus ankam. Zu einer Krankenschwester. Und zwei Polizisten standen auch noch daneben.«

»Seid still«, sagte Debra. Sie stand auf und ging im Zimmer umher. »Lasst mich nachdenken. Lasst mich nachdenken. Wie soll ich auch nur einen klaren Gedanken fassen, wenn ihr die ganze Zeit so auf mich einredet?«

Als Debra aufstand, setzte sich Fiona hin und stützte den Kopf in die Hände. Sie war erschöpft. Ihr Kopf zerplatzte fast. Worte, seine Worte, hallten in ihrem Kopf wider. Und das Schlimmste war, das Bild von ihr selbst, wie sie mit der zerbrochenen Flasche in der Hand dastand. Sie hätte es getan. Sie hätte es wirklich getan. Wenn dieser Polizist sie nicht zurückgehalten hätte, hätte sie Tim die Flasche ins Gesicht geschlagen. Sie hätte einen bewusstlosen Mann angegriffen. Sie! Mit all ihren pazifistischen Grundsätzen. Sie, die noch nie im Leben einen anderen Menschen geschlagen hatte. Ihren Kindern nicht den kleinsten Klaps gegeben hatte. Letzte Nacht hatte sie einen Mann umbringen wollen. Und sie wollte es noch immer.

Seitdem er wieder bei Bewusstsein war, hatte Tim sein Geständnis nicht zurückgezogen, aber er hatte es auch nicht bestätigt. Er hatte schlicht gar nichts gesagt. Kein einziges Wort. Als wüsste er nicht, wo er war und mit wem er redete. Er stand unter Schock, sagte die Polizei. Schock! Sie standen alle unter Schock.

»Sag's mir noch einmal«, verlangte Debra. »Sag mir noch einmal ganz genau, was er letzte Nacht gesagt hat.«

Fiona setzte sich auf. Sie hatte nicht die Kraft, alles noch einmal durchzugehen. Aber sie tat es trotzdem. Sie sah ein Flackern in Debras Augen, während sie zuhörte.

»Er meinte nicht mich!«, sagte Debra, sobald ihre Mutter geendet hatte.

Fiona schüttelte den Kopf. Was hätte sie auch sagen können? Debra wollte es nicht wahrhaben. Sie stand noch immer unter dem Einfluss des Beruhigungsmittels. Sie hatten es ihr zum falschen Zeitpunkt gesagt. Es war alles zu früh.

»Er hat deinen Namen genannt«, erläuterte Lori ruhig. »Natürlich meinte er dich.«

»Er hat gesagt, ich wüsste etwas«, sagte Debra. »Und da hatte er auch recht. Ich weiß etwas. Ich habe das alles schon mal gehört, was er zu Mum gesagt hat. Er hat das gleiche Geständnis schon mal abgelegt. Mir gegenüber!«

Lori warf einen Blick zu ihren Eltern hinüber, die beide die Köpfe schüttelten.

»Er hat über Evie gesprochen!«, sagte Debra.

»Nein, Debra«, sagte ihr Vater. »Es tut mir leid, aber …«

»Erinnerst du dich?«, fragte Debra. »Vor ein paar Monaten. Nicht lange nach Evies Tod. Da war ich mit Marc unterwegs. Wir haben uns gestritten und er ist wütend weggelaufen.«

Ihr Vater machte ein verwirrtes Gesicht.

»Ja, du erinnerst dich!«, beharrte Debra. »Weil ich dich damals angerufen und gebeten habe, zu kommen und mich abzuholen. Und als du kamst, war Tim bei mir und hing da draußen vor der Bank herum.«

»Stimmt«, sagte ihr Vater. »Ja, jetzt weiß ich wieder. Und ich habe ihn sogar noch nach Hause gefahren.«

»Ja«, sagte Debra. »Und was ich dir nicht erzählt habe, war, dass Tim damals weinend zu mir getorkelt kam. Er hat die ganze Zeit von Evie geredet und darüber, dass sie in Würde sterben wollte. Oder zumindest mit dem Rest von Würde, der ihr noch geblieben war.«

»Okay«, sagte ihr Vater nachdenklich. »Aber …«

»Er hat mir erzählt, dass er ihr beim Sterben geholfen hat«, sagte Debra ruhig. »Dass er ihr die Tabletten gegeben und ihr das Glas mit Wasser an die Lippen gehalten hat.«

»Ist das wahr?«, sagte Fiona.

»Verdammt, natürlich ist das wahr!«, sagte Debra.

»Und warum hast du uns nichts davon erzählt?«, wollte Lori wissen.

»Ich weiß es nicht«, sagte Debra kopfschüttelnd. »Er war betrunken. Ich dachte, er wäre vielleicht verwirrt. Dann dachte ich, dass er Schwierigkeiten kriegt, wenn es wirklich stimmt. Es ist schließlich verboten, oder? Jemandem auf diese Weise Sterbehilfe zu leisten. Aber es ist nicht *schlecht*. Er hatte nichts Schlechtes getan. Er hat sie geliebt. Sie wäre sowieso gestorben. Sie wollte es so. Er hat ihr die Tabletten gegeben, aber sie hat sie selbst genommen. Es war ihre Entscheidung!«

»Oh mein Gott«, sagte Fiona und ließ Tims Worte noch einmal klar und deutlich Revue passieren. »Es könnte sein. Alles, was er gesagt hat. Ich weiß nicht. Es könnte sein. Das hätte ich nicht gedacht. Aber es könnte sein. Er könnte Evie gemeint haben.«

»Jetzt kommt alles heraus«, sagte Debra und fing an zu weinen. »Er kriegt so oder so Schwierigkeiten. Aber er hat mir nichts getan. Es war nicht Tim. Ich weiß, dass er es nicht war.«

Fiona ging zum Telefon. Sie mussten der Polizei sagen, was sie wussten. Jetzt. Sofort. Es war nicht beweiskräftig. Es gab noch immer die Möglichkeit, dass Tim wegen der Sache mit Evie so durcheinander war, dass er alles in seinem Kopf so verdreht hatte, dass er schließlich Debra entführt hatte. Aber wenn nicht? Wenn Debra nun recht hatte und es nicht Tim gewesen war? Wenn er nicht der Entführer war, wer dann?

Damit waren sie wieder zurück bei Debras vager Erinnerung an einen Duft. Oder zurück bei Alice Hall? Es war möglich. Die Schwägerin hatte der Polizei eine Menge neuer Informationen geliefert. Dinge, die sie zuvor nicht erwähnt hatte. Alice' depressive Phasen, von denen sie im Laufe der Jahre einige durchgemacht hatte. Auch schon vor den Problemen ihres Mannes. Alice war schon immer ein wenig instabil gewesen, hatte die Schwägerin gesagt. Und ja, sie waren an jenem Abend nach ihrem kurzen Besuch im *Lion* früh zu

Bett gegangen. Es wäre also für Alice möglich gewesen, sich noch einmal hinauszuschleichen, ohne dass ihre Schwägerin davon aufgewacht wäre.

Tim oder Alice? Letzte Nacht war sich Fiona so sicher gewesen und nun war sie wieder vollkommen verwirrt. Aber wenigstens war es gut zu wissen, dass beide momentan unter strenger Beobachtung im Krankenhaus lagen.

»Whisky«, sagte Beth. »Man sollte doch meinen, dass Debra sich in erster Linie an den Geruch von Whisky erinnern würde, wenn es wirklich Tim war. Oder Körpergeruch. Das verbinde ich jedenfalls mit ihm. Kein Rasierwasser oder Seife oder so was. Ich glaube, dass die Körperpflege bei ihm in der letzten Zeit keinen besonders hohen Stellenwert eingenommen hat.«

»Vielleicht war es ja auch gar kein künstlicher Duft«, meinte Eddie. »Miriam hat gesagt, Debra hätte es als Kräuterduft beschrieben.«

»Ja«, sagte Beth.

»Vielleicht hat er sie auch nur in der Nähe eines Gartens oder Schrebergartens oder so festgehalten«, erläuterte Eddie. »Oder es war jemand, der Gras anbaut, so wie dieser Stefan oder so.«

Es kam Beth reichlich weit hergeholt vor, und sie war sicher, dass Stefan von der Liste der Verdächtigen gestrichen worden war, aber andererseits war Eddie schlauer, als er aussah. Und er hatte schon einmal recht gehabt, als sie seine Ansicht bezweifelt hatte. Als es um die gestohlenen Handys ging.

»Hast du schon mal drüber nachgedacht, zur Polizei zu gehen?«, fragte Beth.

Eddie machte ein beleidigtes Gesicht, als dächte er, sie würde sich über ihn lustig machen.

»Es könnte wirklich sein, dass es echte Kräuter waren«, sagte er. »Und dann hat dieses *Truth*-Zeug sie einfach nur daran erinnert. Ich meine, es ist doch ein sehr natürlicher Duft, nicht wahr?«

»Ich weiß nicht«, sagte Beth gedankenverloren.

Sie warf einen Blick auf ihre Uhr. Sie konnten hier noch den ganzen Abend rumstehen und spekulieren, aber es würde nichts nutzen. Und außerdem wurde es langsam spät. Ihre Mutter flippte in der letzten Zeit total aus, wenn sie auch nur ein paar Sekunden zu spät kam. Sie ging auf die Tür zu und hielt dann inne.

Etwas von dem, was Eddie soeben gesagt hatte, wollte ihr nicht aus dem Sinn gehen. Nein. Das war daneben. Sie war überdreht und übertrieben misstrauisch, genau wie ihre Mutter. Genau wie alle anderen in der letzten Zeit.

Eddie war neben sie getreten und hatte die Hand auf den Türgriff gelegt, um sie nach draußen zu begleiten. Er lächelte, als sie ihn anschaute.

»Alles okay?«, fragte er.

»Ja«, sagte sie. »Alles klar. Es ist nichts. Ich hab nur über diesen Duft nachgedacht, den Debra bei Mrs Hall gerochen hat. Wie sagtest du noch gleich, heißt der?«

»Ach, der«, meinte Eddie. »*Truth*! Ja, wie die Wahrheit. Ich fand es auch eine Ironie des Schicksals, schließlich ist es genau das, was wir vielleicht nie erfahren werden, nicht wahr?«

»Mmm«, sagte Beth wieder und wollte sich an ihm vorbeidrängen, überwältigt von dem plötzlichen Gefühl, dass sie gerade eben genau das erkannt hatte.

Die Wahrheit.

»Wer war das?«, fragte Debra, als ihr Vater den Telefonhörer auflegte.

»Die Mutter von Beth«, sagte er. »Sie wollte wissen, ob Beth hier wäre. Sie ist noch nicht von der Schule nach Hause gekommen.«

»Es ist doch erst zwanzig nach vier«, sagte Lori mit einem Blick auf die Uhr.

»Ich weiß«, sagte ihr Vater. »Aber Beths Handy ist ausgeschaltet. Und ihre Mutter macht sich ein bisschen Sorgen.«

»Hat sie schon in der Schule angerufen?«, fragte Mrs Cardew. »Vielleicht ist Beth noch dort geblieben.«

»Nein, sie ist früher gegangen«, sagte Robert. »Tonya meinte, Beth wollte noch zu Miriam rübergehen. Aber dort sind natürlich alle Telefone abgemeldet und sie können Miriams Handy nicht erreichen. – Ich muss sowieso noch ein paar Sachen in der Schule vorbeibringen. Das könnte ich auch jetzt gleich machen und dann bei Miriam vorbeifahren und dort nachsehen. Dann kann ich Beth sagen, sie soll ihre Mutter anrufen, wenn sie noch dort ist.«

Keiner sagte etwas dagegen. Keiner meinte, seine Reaktion sei übertrieben und Beth sei doch nur ein paar Minuten verspätet. Jeder verstand, wie es ihrer Mutter erging.

»Ich komme mit«, sagte Debra. »Ich kann ihre Mutter anrufen und ihr sagen, was wir tun, und kann dann weiter versuchen, Beth auf dem Handy zu erreichen, während du fährst.«

»Wenn du dir sicher bist«, sagte ihr Vater.

Debra war sich alles andere als sicher. Aber sie schnappte sich dennoch ihre Jacke und ihre Tasche. Sie würde es tun. Sie musste das Haus ja irgendwann einmal wieder verlassen. Sie konnte sich nicht ewig einsperren. Das wusste sie. Also konnte sie es ebenso gut gleich hinter sich bringen. Wo sie einen Grund hatte. Natürlich gab es keinerlei Anlass zur Panik. Bestimmt war es nur ein falscher Alarm und Beth marschierte in genau diesem Moment den Weg zu ihrer Haustür hinauf. Öffnete die Tür. Gleich würde Beths Mutter anrufen, um ihnen mitzuteilen, dass sie zurück war. Dann konnten sie vielleicht dort vorbeifahren und sie besuchen.

Falls sie es tatsächlich schaffte, durch die Haustür nach draußen zu gehen. Ihr Vater wartete schon auf sie und hielt die Tür auf. Sie bewegte sich langsam vorwärts. Schaute nach rechts und links die Straße entlang, die verlassen dalag und mehr Sicherheit gebende Vertrautheit ausstrahlte, als sie erwartet hätte.

Es waren nur ein paar Schritte bis zum Auto. Sie konnte es schaffen, das wusste sie. Sie musste es schaffen. Sie umklammerte die Hand ihres Vaters und zog ihn geradezu vorwärts, öffnete die Beifahrertür mit der anderen Hand und schlüpfte hinein. Schwer atmend hielt sie sich am Sitz fest, während der Wagen aus der Einfahrt bog.

Sie war draußen und sah der Welt ins Gesicht. Langsam ließ sie den Sitz los, holte ihr Handy hervor und wählte Beths Nummer. Sie musste drangehen. Sie musste es einfach. Debra konnte es nicht erwarten, ihr zu erzählen, dass sie das Haus verlassen hatte und auf dem Weg zu ihr war.

»Alles in Ordnung mit dir?«, fragte Eddie. »Du siehst plötzlich so blass aus.«

»Ja«, sagte Beth. »Alles bestens. Ich muss jetzt gehen.«

»Du siehst wirklich nicht gut aus«, sagte er. »Ich hol dir was zu trinken. Ich glaube, dadrin liegt noch irgendwo eine Flasche Wasser herum.«

»Nein«, sagte Beth mit angespannter und heiserer Stimme.

Eddies Hand lag noch immer auf dem Türgriff. Beth schaute den Flur entlang in Richtung Küche. Vielleicht sollte sie einfach losrennen und hinten hinaus. Aber was war, wenn die Hintertür verschlossen war? Sie wollte ihn nicht erschrecken. Wollte nicht, dass er merkte, dass sie etwas ahnte. Oder wusste er es bereits? Bewachte er deswegen die Tür? Oder bildete sie sich das alles nur ein? Vermutlich gab es eine ganz logische Erklärung. Eddie sah nicht gefährlich aus. Im Gegenteil, er wirkte besorgt. Ehrlich besorgt.

»Willst du mir nicht sagen, was los ist?«, fragte er.

»Gar nichts«, sagte sie.

Er lächelte sie an und ihre Angst löste sich auf. Was hatte sie nur für komische Gedanken! Eddie hatte Debra nicht entführt. Was für einen Grund hätte er dazu haben sollen? Es war Tim. Sie hatte von Anfang an gewusst, dass es Tim war, und jetzt hatte er es sogar gestanden, Himmel noch mal! Was für Beweise wollte sie denn noch haben?

»Ein dummer Gedanke«, fügte sie hinzu. »Also, könntest du mir jetzt bitte die Tür aufmachen?«

»Klar«, sagte er und trat einen Schritt zurück. »Und verrätst du mir dann, was hier eigentlich los ist?«

»Ich glaube, ich hab zu viele Krimis gelesen«, sagte Beth, voller Erleichterung, dass sie jetzt die Welt draußen sehen konnte und nicht länger das Gefühl hatte, in der Falle zu sitzen.

Eddie wirkte verloren und verwirrt, wie so oft.

Beth trat nach draußen und wandte sich noch einmal zu ihm um. Sie dachte daran, wie er bei der Suche nach Debra mitgeholfen hatte. Sie dachte an sein Plädoyer für die Todesstrafe bei Miriams Party. Ganz zu schweigen von dem Hinweis, den er der Polizei bezüglich der gestohlenen Handys gegeben hatte. Waren das Verhaltensweisen eines Entführers? Wie hatte sie auch nur einen Augenblick lang denken können, dass Eddie etwas damit zu tun hatte?

Schuldete sie ihm eine Erklärung? Vermutlich. Selbst wenn er sie letztendlich für vollkommen bekloppt hielt.

»Der Name des Parfüms«, sagte Beth eilig, »das Debra wiederzuerkennen glaubte. Lori hat gesagt, dass die Polizei den nicht verraten hat, aber ich schätze mal, das haben sie mittlerweile doch getan.«

Wieder zeigte Eddies Gesicht nur Verwirrung.

»Weil du doch wusstest, wie es heißt«, fügte Beth hinzu.

»Oh!«, sagte Eddie. »Ach so, ja, genau. Ich bin nur von dem ausgegangen, was Miriam mir erzählt hat. Vielleicht stimmt es nicht mal. Du weißt schon, Gerüchte sind schnell verbreitet.«

Beth nickte und setzte sich in Bewegung.

»Aber«, sagte Eddie langsam, »du dachtest also ...«

»Ich weiß nicht genau, was ich gedacht habe«, sagte Beth. »Wie schon gesagt, wohl zu viele Krimis. Du weißt schon, wenn sich der Verbrecher aus Versehen verrät.«

»Ich bin kein Verbrecher«, sagte Eddie scharf.

»Ich weiß«, sagte Beth.

»Und warum behandeln mich dann alle so?«, sagte Eddie mit vor Wut gerötetem Gesicht.

»Tut mir leid«, sagte Beth. »Ich wollte damit nicht sagen ...«

»Ach nein?«, sagte Eddie. »Nur weil ich den Namen von diesem blöden Parfüm kenne. Nur weil ich das gleiche Gerücht gehört habe wie alle anderen auch. Vielleicht glaubst du, ich bin pervers, so wie mein Vater. Wolltest du das sagen?«

»Nein!«, sagte Beth.

»Warum nicht?«, sagte Eddie. »Alle anderen scheinen es aber so zu sehen.«

Es dauerte einen Augenblick, bis Beth kapiert hatte, was er meinte und was ihn so wütend machte.

»Du meinst die ganzen Drohbriefe und das alles?«, sagte Beth. »Ja, ich weiß …«

»Nein! Nein, du weißt gar nichts!«, sagte er. »Du hast keine Ahnung, wie das ist. Ich will es nur noch vergessen und mein Leben weiterleben. Aber *die* lassen mich ja nicht. *Sie* lässt mich nicht.«

»Wer?«, fragte Beth vollkommen verwirrt.

»Alle!«, sagte Eddie. »Die Leute, die diese Drohbriefe schicken. Die verfluchten Zeitungen, die alles immer wieder hochkochen, wenn es einen neuen Fall gibt. Und jetzt sie. Tante Jill! Sie meint, dass ich es war, der diese ganzen Pornoseiten besucht hat, weißt du? Gar nicht mein Dad. Sie glaubt, dass mein Vater mich nur schützt und sogar für mich ins Gefängnis gegangen ist. Alles nur, um seinen tollen Sohn zu schützen. Sie hat gedroht, dass sie es der Polizei erzählt. Ich meine, das ist doch total abwegig. Sie blufft doch nur. Die würden ihr doch nie glauben.«

Eddie lachte. Ein kurzes, irres Schnauben, das Beth dazu veranlasste, sich noch einen Schritt von ihm zu entfernen.

»Sie konnte mich noch nie leiden«, sagte Eddie wie zu sich selbst. »Sie wollte es nicht wahrhaben, dass ihr Bruder so etwas getan haben könnte, also musste ich es ja gewesen sein, oder?«

»Und, warst du's?«

»Nein!«, sagte Eddie. »Aber was wäre, wenn ich es gewesen wäre? Was spielt das für eine Rolle? Warum machen

168

alle so eine große Sache daraus? Es ist ja nicht so, als würde man damit jemandem wehtun, oder? Es sind ja nur Bilder.«

»Bilder von Kindern«, wand Beth ein. »Echten Kindern, die missbraucht wurden! Das ist kein Verbrechen ohne Opfer, Eddie! Die Bilder sind Fotos und keine Gemälde, verdammt noch mal. Wir reden hier über echte Kinder.«

»Kleine Unschuldslämmer, he?«, spottete Eddie. »Genau wie du. Auf der Titelseite der Zeitung, das warst doch du, oder? Du und Debra, wie ihr eure Beine und Titten in die Kamera gestreckt habt!«

Die Art und Weise, wie er den Namen Debra ausspie, verursachte Beth plötzlich Übelkeit. Eddies Gesicht hatte sich zu einer Mischung zwischen einer zähnefletschenden Grimasse und einem hämischen Grinsen verzogen. War das das Gesicht eines Menschen, der gerne kleine Kinder anschaute? Das Gesicht eines Menschen, der es zuließ, dass sein Vater für ihn ins Gefängnis ging? Das Gesicht von Debras Entführer?

»Was?«, sagte Eddie und rückte ein Stück näher. »Was ist jetzt?«

»Nichts, gar nichts«, sagte Beth.

Sie schüttelte den Kopf, aber sie wusste, dass ihre Augen eine ganz und gar andere Botschaft verkündeten. Sie musste weg hier, und zwar schnell.

Noch bevor sie eine Bewegung machen konnte, schoss Eddie vor, packte sie am Arm und zog sie zurück nach drinnen.

Kapitel 14

Beth wurde so heftig herumgeschleudert, dass ihr Rücken gegen die Tür knallte, die zuschlug, während sie, nach Atem ringend, vornüberkippte. Als sie sich wieder aufrichtete, den Kopf hob und Anstalten machte zu schreien, wurde ihr eine Hand fest auf den Mund gepresst, und Eddie drückte mit seinem ganzen Gewicht gegen sie und hielt sie fest, während er sprach.

»Nicht schreien«, sagte er. »Und keine Bewegung.«

Oh Gott, was hab ich getan! Was soll ich jetzt tun? Ich hätte keine Panik kriegen dürfen. Dieser blöde Simmonds hat doch gestanden. Das hätte ich für mich verwenden können. Wenn ich die Ruhe bewahrt hätte. Ich hätte mich nicht von Beth durcheinanderbringen lassen dürfen. Sie wusste ja gar nichts. Jedenfalls nicht sicher. Aber jetzt ist es zu spät.

Beth versuchte, sich zu befreien und zu rufen, aber er war zu stark für sie. Seine eine Hand presste sich ihr noch stärker auf Mund und Nase, seine andere kroch hoch und packte sie an der Kehle, schnürte ihr den Atem ab.

Tu's. Tu's. Mach Schluss. Nein! Sei nicht verrückt. Damit kommst du nicht mehr durch. Damit nicht. Aber wenn ich es

nicht tue? Dann sagt sie alles und sie fangen wieder an
herumzuschnüffeln. Ich habe nichts zu verlieren. Gar nichts.

Beth spürte, wie ihr Körper ins Rutschen kam, sich auflöste und wie ihr die Augen ganz gegen ihren Willen zufielen.

Dann ertönte die Türklingel. Das Klingeln ließ Eddie zusammenzucken, sein Griff lockerte sich kurz und Beth rutschte zu Boden.

»Hallo? Wer ist da drin? Wer ist da? Was ist hier los?«

»Miriam? Beth? Seid ihr das?«

Die erste Stimme war tief, männlich. Die zweite war Debras Stimme! Selbst durch die wirbelnde, schwindelige Übelkeit in ihrem Kopf und ihrem Bauch hörte Beth, dass es Debra war, und sie rief ihr eine Antwort zu.

Ihr Rufen war schwach und kaum hörbar, aber ein zweites Mal war unmöglich. Eddie hatte sich neben sie auf die Knie fallen lassen und etwas aus den Taschen seiner Jeans gezogen und aufschnappen lassen. Ein Messer. Er hatte ein Messer! Ein Taschenmesser oder Klappmesser. Nicht besonders lang, aber groß genug, um Beth erstarren zu lassen, als seine kalte Klinge leicht über ihre Brust und ihre Kehle emporglitt und dann über die Haut an ihrem Kinn und auf ihrer Wange strich.

»Bitte«, flüsterte Beth, während jemand gegen die Tür hämmerte. »Bitte tu mir nichts.«

»Mach die Tür auf«, schrie Debra draußen. »Mach die Tür auf. Beth? Kannst du mich hören? Beth!«

Das Klappern des Briefschlitzes, ein erschrecktes Keuchen, ein Schrei, hoch, hysterisch.

»Dad, sie ist da drin. Mit Eddie Wilcox! Was macht er da? Was geht da vor? Er hat ein Messer. Ruf die Polizei. Sag ihnen, dass er ein Messer hat!«

Jetzt rufen sie schon die Bullen. Schlau. Aber ich hab kein Problem. Schließlich hab ich ja meine Geisel, nicht wahr? Wie gut, dass ich mich nicht habe hinreißen lassen. Wie gut, dass ich nicht zu fest zugedrückt habe. Sie werden mir nicht zu nahe kommen, solange ich sie noch lebendig bei mir habe.

»Genau«, rief Eddie. »Ich hab ein Messer. Also geh zurück oder ich muss deiner Freundin ihr hübsches Gesicht zerschneiden, okay? Wenn es Ärger gibt, schlitze ich ihr den Hals auf.«

Würde ich das? Würde ich das wirklich tun? Könnte ich es? Wenigstens halten sie jetzt erst mal die Klappe. Und was nun? Nichts wie raus hier! Hinten raus? Bevor die Bullen kommen?

»Steh auf!«, sagte er und hielt die Spitze des Messers unter Beths rechtes Ohr. »Steh auf!«

Draußen hielt Robert Cardew Debra fest im Arm, die von Schluchzen geschüttelt wurde und die ganze Zeit versuchte, sich aus seinem Griff zu befreien.

»Du kannst sowieso nichts machen«, sagte er und hielt sie noch fester. »Wir können da nicht rein. Wenn du ihn erschreckst, passiert Beth etwas. Wir müssen warten. Hast du verstanden?«

Debra nickte und bemerkte zum ersten Mal, dass sie nicht mehr alleine waren. Nachbarn und Passanten waren durch das Schreien aufmerksam geworden und herbeigekommen.

»Wir gehen hintenrum«, hörte sie einen Mann sagen.

»Versuchen Sie nicht, ihn aufzuhalten«, warnte Debras Vater. »Die Polizei hat gesagt, wir sollen auf sie warten und ihn so lange in Ruhe lassen. Jedenfalls solange er Beth hat.«

»Wo bleiben sie nur?«, fragte Debra. »Warum sind sie noch nicht hier? Was ist hier los? Warum tut Eddie das?«

Dann machte es klick. Plötzlich war die Verbindung da, die sie in ihrer ersten Panik nicht hergestellt hatte.

»War er es? Eddie? Hat er mich betäubt? Das kann doch nicht sein. Warum sollte er? Warum ich? Warum Beth? Dad! Wir müssen was unternehmen.«

»Ist schon gut«, sagte ihr Vater. »Sie sind jetzt hier.«

Keine Sirenen, keine Vorwarnung. Nur Autos, Polizeiautos und zivile Fahrzeuge, die in aller Ruhe vor Miriams altem Zuhause vorfuhren. Auch ein Krankenwagen stand bereit.

»Das finden sie jetzt wieder toll, oder?«, sagte Eddie, der durch das Küchenfenster die Leute im Garten hinten sah. »Du weißt, was sie jetzt am liebsten hätten, oder?«

Beth gab keine Antwort. Das Messer saß ihr jetzt im Rücken, und sie wollte kein Risiko eingehen, indem sie etwas Falsches sagte.

»Weißt du's?«, fragte Eddie noch einmal und drückte ihren Arm.

Beth schüttelte den Kopf.

»Sie hätten es am liebsten, wenn ich dich umbringen würde«, sagte er. »Darauf warten sie da draußen. Drama und Action. Sie würden Entsetzen heucheln, aber insgeheim würde es ihnen gefallen.«

»Nein«, flüsterte Beth.

»Oh, ist ja schon gut«, sagte Eddie. »Ich werde es nicht tun, wenn es nicht unbedingt sein muss. Wir werden hier rausgehen, du und ich. Und keiner wird uns daran hindern können. Hinten- oder vorne raus, das macht keinen Unterschied. Vorne, denke ich. Warum nicht?«

Er schob sie herum und marschierte mit ihr quer durch die Küche in den Flur.

»Warum?«, brachte Beth mit Mühe hervor.

Bestimmt war die Polizei inzwischen da. Sie musste es nur irgendwie hinkriegen, dass er weiterredete. Um denen da draußen etwas mehr Zeit zu geben, sich in Position zu begeben, zu planen oder was immer sie tun mussten.

»Warum hast du Debra entführt? Warum gerade sie?«

Er lachte.

»Weil ich es wollte«, sagte er. »Weil ich den Cardews das Leben zur Hölle machen wollte, so wie sie es bei mir gemacht haben.«

»Wieso?«, fragte Beth. »Wie haben sie dir denn das Leben zur Hölle gemacht?«

Eddie drehte sie herum, sodass sie ihm ins Gesicht schaute, das Messer hielt er niedrig, etwa auf Magenhöhe.

»Liest du keine Zeitung?«, grollte er. »Mrs Cardews Zeitung? Hast du nicht gesehen, was sie über meinen Dad geschrieben haben? Sie haben ihn als Pädophilen bezeichnet. Und damit jede Menge Ärger heraufbeschworen. Wenn du gedacht hast, dass das, was Miriam abgekriegt hat, übel war, dann hättest du mal miterleben sollen, womit ich fertig werden musste. Ziegelsteine durchs Fenster, aufgeschlitzte Autoreifen, Hundescheiße im Briefkasten, und alles nur wegen dieser verdammten Fiona Cardew!«

Er glaubt wirklich daran, dachte Beth und versuchte, einen neutralen Gesichtsausdruck zu bewahren und sich die Wut, die Angst, den Ekel nicht anmerken zu lassen, der sich aus jeder Pore drängen wollte. An allem waren andere schuld. Nur nicht er selbst.

»Aber das Handy«, sagte Beth. »Du hast doch behauptet,

dein Handy sei bei der Party gestohlen worden! Zusammen mit den anderen.«

»Ja, schlau, nicht wahr?«, sagte Eddie lächelnd.

»Und wie du über Marc hergefallen bist, an dem Abend bei Miriam!«

»Eine kleine Ablenkung«, sagte Eddie, dessen Lächeln langsam verblasste. »Ein bisschen Drama, ein bisschen Schauspielerei. Aber ich hatte doch recht, oder? Ich hab gesagt, wenn man ihn nicht daran hindert, dann hat vielleicht ein anderes Mädchen nicht mehr so viel Glück.«

»Du musst das nicht tun«, flüsterte Beth. »Du könntest dich stellen und Hilfe bekommen.«

»Ich habe schon mal Hilfe bekommen«, sagte er und beugte sich zu ihr. Sie spürte seinen Atem warm auf ihrem Gesicht. Sie versuchte zurückzuweichen, aber er hielt sie ganz fest.

»Wie meinst du das?«, fragte sie und schaute zur Tür, in der Hoffnung, dass dort draußen etwas passierte.

»Nachdem ich an der Uni Mist gebaut hab«, sagte er. Seine Augen schauten dabei irgendwie durch sie hindurch, hinter sie.

»Mist gebaut?«, fragte Beth. »Du hast doch keinen Mist gebaut! Miriam hat mir erzählt, du hättest ein Einserexamen gemacht!«

»Oh ja«, sagte Eddie. »Ich hab mein Einserexamen gemacht. Das musste ich ja auch, oder? Nur das Beste war gut genug. Das erwartete mein Dad von mir. Deswegen hatte er ja auch so viel Geld für meine Ausbildung ausgegeben. Damit er mit mir bei seinen Freunden im Council angeben konnte. Aber selbst das Einserexamen war nicht gut genug.«

Warum erzähle ich ihr das alles? Was erwarte ich eigentlich? Mitleid?

»Dad wollte, dass ich weitermache, noch den Magister mache. Und das wollte ich auch. Bis die Tochter von meiner Vermieterin angefangen hat, Geschichten zu erzählen, was wir so miteinander getrieben haben.«

Beth starrte ihn an und wagte gar nicht zu fragen, wie alt das Mädchen gewesen war. Das musste sie auch nicht. Eddie hatte die Frage in ihren Augen gelesen und war schon dabei, sie zu beantworten.

»Ja, sie war minderjährig«, sagte Eddie. »Na und? Sie war kein Kind mehr! Sie war vierzehn. Sie wusste genau, was sie tat. Und wir hatten ja gar keinen richtigen Sex miteinander oder so! Ich kann nicht … ich meine … ist ja auch egal. Wir haben nur …«

»Lass«, sagte Beth und schaute wieder zur Tür. »Erzähl mir nichts. Ich will es nicht wissen.«

»Es war gar nichts«, sagte Eddie. »Aber ihre Mutter hat eine große Sache daraus gemacht und hat meinen Vater kontaktiert.«

»Und was ist dann passiert?«, fragte Beth und überlegte gleichzeitig, ob er wohl als Sexualstraftäter registriert war und die Polizei das irgendwie übersehen hatte.

»Dad hat ihnen Geld gegeben«, lachte Eddie. »Es ist schon erstaunlich, wozu die Leute für Geld bereit sind. Wie sie plötzlich ihre Aussagen verändern. Aber Dad wollte es nicht dabei belassen. Er meinte, ich bräuchte Hilfe, weil ich seiner Meinung nach krank wäre. Er hat es auf den Examensdruck geschoben. Also hat er mich ›auf Reisen‹ geschickt. In eine Klinik im Ausland. Damit keiner davon erfährt.«

»Und wusste noch jemand von dieser ganzen Sache?«, fragte Beth. »Wusste Miriam etwas?«

Eddie rückte ein Stück von ihr ab und schüttelte den Kopf.

»Nein, Dad hat alles unter Verschluss gehalten. Na ja, das war ja der Sinn der Sache. Und nach dem Krankenhausaufenthalt hab ich dann wirklich noch eine Reise gemacht.«

Wieder lachte Eddie.

»Vielleicht bin ich an die falschen Orte gefahren. Hab falsche Angewohnheiten angenommen. Dinge, die mein Dad sich nicht mal vorstellen könnte! Er dachte, ich wäre geheilt, als ich zurückkam. Er war überglücklich, dass ich in die Firma einsteigen wollte. Bis die Polizei dann bei uns an die Tür klopfte. Wegen dieser Internet-Porno-Geschichte.«

»Aber warum hat er die Schuld auf sich genommen?«, fragte Beth. »Warum hat er dich entlastet?«

»Die Bullen dachten, er wäre es«, sagte Eddie schulterzuckend. »Ich hatte ja seine Kreditkarte benutzt, verstehst du? Ich hab ihn nie darum gebeten, für mich zu lügen, aber er hat es einfach getan. Vielleicht dachte er, er würde mir damit noch eine Chance geben. Vielleicht aus Liebe. Oder aus schlechtem Gewissen.«

»Warum aus schlechtem Gewissen?«

»Weil er mich die ganze Zeit zu sehr unter Druck gesetzt hat? Ich habe keine Ahnung! Jedenfalls konnte er es ihnen einfach nicht sagen. Er konnte der Polizei nicht sagen, dass ich der Täter war.«

Polizei, dachte Beth. Was machten die da draußen eigentlich? Warum geschah nichts? Warum kam ihr niemand zu Hilfe?

Die Polizei hatte alle aufgefordert, sich zu entfernen, die Straße abgesperrt und alle Häuser evakuiert. Sie hatten auch gewollt, dass Debra nach Hause ging. Nach Hause! Als wäre sie dazu in der Lage gewesen! Also waren sie einen Kompromiss eingegangen. Und nun konnte Debra nur vom Haus schräg gegenüber aus zusehen. Sie sah, dass immer mehr Polizisten eintrafen. Bewaffnete Scharfschützen, Psychologen, Berater. Für alle Fälle wurde vorgesorgt. Und noch jemand. Noch jemand war unterwegs. Aber würde er rechtzeitig kommen? Und würde es etwas helfen?

Eine Polizistin hielt Debras Hand und versicherte ihr, dass Beth nicht in Gefahr war. Im Augenblick würde Eddie nicht den einzigen Trumpf aufgeben, den er besaß. Aber um das zu glauben, musste man glauben, dass Eddie vernünftig und rational dachte. Und das tat er garantiert nicht.

Telefone klingelten, Leute redeten, aber Debra ignorierte sie alle und hielt die Augen fest auf das Haus gegenüber gerichtet, wo sich zwei Zivilbeamte der Tür näherten.

»Mr Wilcox?«

Beth hörte die Stimme. Eddie schubste sie gegen die Tür und hielt den einen Arm fest um ihre Kehle gelegt, während er mit dem anderen das Messer an ihren Hals drückte.

Was soll ich nur tun? Rausgehen, das ist es. Sie werden mich nicht anrühren, solange ich sie habe. Aber was dann? Wo soll ich hin? Ich komme ja nicht außer Landes. Vielleicht könnte ich mich einfach ein Weilchen versteckt halten. Wenn ich bis zu meinem Auto komme. Dann könnte ich wegfahren. Mit dem Mädchen. Das wäre das Beste. Jedenfalls für den Anfang.

»Zurück!«, schrie Eddie. »Alle. Weg von der Tür!«

Man hörte Schritte, die sich entfernten. Dann einen Ruf, dass der Weg frei sei.

»Mach auf!«, befahl Eddie.

Beths Hände zitterten, und sie hatte Mühe, das Schloss zu öffnen.

»Mach auf!«, knurrte er.

Beth zwang ihre Finger, zuzugreifen und zu drehen, und zog dann an der Tür.

»Weit, ganz weit auf«, sagte Eddie, trat einen Schritt zurück und zog sie mit sich. »Ich will, dass sie uns sehen, bevor wir uns weiter vorbewegen.«

Sie standen im Türrahmen und starrten auf die Polizisten, die im Garten, neben dem Tor und draußen auf der Straße standen. Es waren irgendwie noch mehr, als Beth erwartet hatte. Auch mehr, als Eddie erwartet hatte. Sie konnte seine Angst und Anspannung spüren. Das Messer drückte in ihren Nacken und ritzte ihre Haut auf, bevor er es zurückzog. Beth fing an zu schluchzen. Urin lief ihr das Bein hinunter.

»Halt die Klappe!«, blaffte Eddie und schob sie vorwärts. Schlaff hing sie in seinen Armen.

»Lassen Sie das Mädchen los«, sagte eine ruhige Männerstimme irgendwo links von Beth. »Lassen Sie das Mädchen los, Mr Wilcox.«

Aber klar doch!

»Zurück. Alle. Nein, vor. Vor mich. Wo ich euch sehen kann. Tut, was ich sage, und ihr geschieht nichts«, sagte Eddie und schob Beth langsam ein Stückchen vorwärts.

»Gut, Beth, alles wird gut«, beruhigte sie eine unbekannte Stimme. »Du machst das ganz toll. Tu jetzt genau das, was er dir sagt. Er wird dir nichts tun, nicht wahr, Mr Wilcox? Sie wollen doch nicht, dass irgendjemandem was passiert, oder? Sie wollten auch nicht, dass Debra was passiert, stimmt's?«

Nein, fangt nicht damit an. Fangt nicht an, mich aufzuregen. Ich hör gar nicht hin. Ich hör nicht hin.

»Sie wollen doch nur, dass die Leute verstehen, wie Sie sich fühlen, nicht wahr, Eddie?«

Aha, jetzt sind wir also schon bei »Eddie«? Probieren wir's auf die kumpelhafte Tour? Damit ich unvorsichtig werde. Tja, das wird leider nicht funktionieren. Ich werde nicht antworten, sondern einfach immer weiter zum Tor gehen.

»Macht das Tor auf! Jemand soll das verdammte Tor aufmachen! Offen lassen und dann zurückgehen.«

»Schon gut, Eddie«, sagte die Stimme. »Sie können rauskommen. Wenn Sie das wollen. Aber ich will, dass Sie das Mädchen laufen lassen.«

Beth wagte einen verstohlenen Blick in die Richtung, aus der die Stimme kam. Sie sah einen Mann dort alleine stehen, während alle anderen sich zurückzogen. Er war lässig gekleidet und hatte einen gütigen Gesichtsausdruck. Ein Psychologe? Ein Therapeut? Die Stimme der Vernunft.

»Lass das Mädchen laufen, Eddie«, sagte der Mann wieder. »Dann können wir reden.«

Nicht reden. Ich will nicht reden, verdammt. Wo ist mein Auto? Wo hab ich es hingestellt? Bin ich überhaupt mit dem Auto gekommen? Ich kann es nicht sehen. Überall sind so viele Polizisten. Was ist hier los? Dort drüben? Da fährt noch ein Auto vor. Wie soll ich denn da etwas machen? Wenn hier so verdammt viele Polizisten rumlaufen? Und wenn dieser Idiot die ganze Zeit auf mich einquatscht. Das können sie doch nicht mit mir machen. Das hier ist mein Spiel. Ich bestimme die Regeln.

»Ich will die hier weghaben. Ich will, dass die ganzen Autos weggefahren werden. Jetzt!«

»Okay. Geht in Ordnung, Eddie«, sagte der Mann und schaute auf die andere Straßenseite. »Wir schaffen alle weg hier, versprochen. Aber da drüben ist jemand, der zuvor mit dir reden will.«

Ich rede nicht. Mit keinem. Kapieren die das nicht? Ist mir egal, wen sie jetzt noch anschleppen ... oh Scheiße! Nicht ihn. Nicht ihn. Das könnt ihr doch nicht machen. Das könnt ihr doch nicht mit mir machen!

»Debra, nein!«, rief ihr Vater, als sie sich losriss und die Treppe hinunterrannte.

Sie blieb nicht stehen. Konnte nicht stehen bleiben. Nicht nach dem, was sie gesehen hatte. Als Gordon Wilcox auf seinen Sohn zugegangen war, hatte dieser Panik gekriegt. Er hatte etwas gerufen und Beth dabei so heftig von sich gestoßen, dass sie mit dem Gesicht nach unten auf die Straße gefallen war, während Eddie davonrannte.

»Lasst mich los, lasst mich los«, schrie Debra, als jemand sie unten an der Treppe neben der offen stehenden Tür festhielt.

»Ist ja schon gut«, sagte der Polizist. »Sie haben ihn. Er ist nicht weit gekommen.«

»Beth«, rief Debra. »Ich will zu Beth.«

Debra spürte, wie der Polizist seinen Griff lockerte und sie in die Arme ihres Vaters übergab, der ihr nach unten gefolgt war.

»Das kannst du«, sagte der Polizist. »Gleich. Wenn sie Eddie Wilcox aus dem Weg geschafft haben. Deiner Freundin geht es gut, hörst du? Das kann ich dir versprechen. Ihr ist nichts passiert.«

»Woher wollen Sie das denn wissen?«, schrie Debra und versuchte wieder, sich von ihrem Vater loszureißen und zu sehen, was draußen vor sich ging. »Woher wollen Sie denn wissen, wie das ist? Wie es ihr geht?«

»Debra«, sagte ihr Vater. »Bitte, Debra.«

In der Tür erschien noch ein Polizist.

»Beth ist im Krankenwagen«, sagte er. »Ihre Mutter ist bei ihr, aber sie fragt nach dir.«

Debra stolperte nach draußen und klammerte sich dabei an den Arm ihres Vaters. Als sie beim Tor ankam, wurde gerade ein Mann in ein Polizeiauto verfrachtet. Es war nicht Eddie, sondern sein Vater, Gordon. Er wandte sich um und schaute Debra an. Sein Gesicht war grau und angespannt.

»Du bist Debra, nicht wahr?«, sagte er. »Debra Cardew?«

Sie nickte.

»Es tut mir leid«, sagte er mit Tränen in den Augen. »Es tut mir so leid.«

Kapitel 15

Debra warf einen Blick auf die Uhr.

»Zeit aufzuhören«, sagte sie und schob ihr Ringbuch auf die Seite. »Willst du was trinken?«

Beth nickte, tippte aber weiter in ihren Laptop auf dem Küchentisch.

»Ich schätze mal, wir kommen ganz gut alleine zurecht, findest du nicht auch?«, sagte Beth. »Ich glaube, wir müssen gar nicht wieder zur Schule gehen!«

»Du vielleicht nicht«, sagte Debra lächelnd. »Aber ich brauche so viel Hilfe wie möglich. Und außerdem vermisse ich die Leute irgendwie, du nicht?«

Beth hörte auf zu tippen und wandte sich zu Debra.

»Montag also?«, fragte sie. »Wir gehen also Montag wieder hin. Wie verabredet. Wenn du meinst, dass ich mich so schon wieder sehen lassen kann.«

Debra lachte.

»Tut mir leid«, sagte sie. »Es ist nicht komisch. Aber das Pflaster auf deiner Nase sieht einfach lächerlich aus!«

»Das ist bis Montag weg«, sagte Beth und zog einen Spiegel aus der Tasche. »Und die meisten von den blauen Flecken sind auch schon verblasst.«

»Ist das alles, was dich noch zurückhält?«, fragte Debra. »Deine Eitelkeit?«

Debra kannte die Antwort auf die Frage. Sie wusste, dass es nichts mit Eitelkeit, ja sogar ziemlich wenig mit Beth selbst zu tun hatte.

»Auf jeden Fall!«, sagte Beth. »In der Oberstufe sind ein paar neue Jungs. Ich hab sie beim Einführungstag gesehen. Einer ist mega-süß. Ich will ihn ja schließlich nicht verschrecken, oder?«

Debra lächelte, während sie den Kaffee einschenkte. Heute war Freitag. Nur neun Tage seit Beths Martyrium und genau eine Woche, seit sie aus dem Krankenhaus entlassen worden war. Aber abgesehen von den offensichtlichen körperlichen Verletzungen, die Beth davongetragen hatte, als sie auf den Gehweg geschleudert worden war, war ihr nicht anzumerken, dass überhaupt etwas mit ihr geschehen war. Sie war so tapfer gewesen! Beth hätte schon gleich zu Wochenbeginn wieder in die Schule gehen können, das wusste Debra – Blutergüsse hin oder her. Aber sie hatte beschlossen, mit Debra zu Hause zu arbeiten, unter dem Vorwand, sie bräuchte noch Zeit.

»Aber was ist mit dir?«, fragte Beth. »Bist du sicher, dass du es schaffst?«

Das war's. Das war der wahre Grund, warum Beth sich von der Schule hatte befreien lassen. Um ihr zu helfen!

»Ja«, sagte Debra, überrascht von ihrer eigenen Überzeugung. »Ja, ich schaffe das.«

Sie hatten natürlich alles durchgesprochen. Hatten ihre Erfahrungen ausgetauscht. Nach Antworten gesucht. Wodurch war Eddie so verkorkst, so verrückt geworden? Warum hatte sein Vater ihn gedeckt? Warum hatte Miriams Mutter niemandem von ihrem Verdacht erzählt? Es gab keine wirklichen

Antworten, jedenfalls keine einfachen. Aber die Gespräche mit Beth waren besser gewesen als die mit der Psychologin. Beth war so tapfer und entschlossen gewesen, dass Debra sich geradezu gezwungen sah, zuversichtlicher zu sein.

»Wer ist das?«, sagte Beth, als sie hörten, wie die Haustür aufgeschlossen wurde.

»Vielleicht Lori«, sagte Debra. »Sie wollte sich irgendwie noch mit Stefan aussprechen, bevor sie wieder an die Uni zurückgeht. Ich fand das keine gute Idee, aber du kennst ja Lori! Er tut ihr leid. Weil ihn am Anfang alle unter Verdacht hatten.«

»Ja«, sagte Beth und wurde ein wenig rot, als nicht Lori, sondern Mrs Cardew die Küche betrat.

»Mum!«, sagte Debra. »Du bist aber früh zurück!«

Sie hielt inne, denn der schwarze Hosenanzug ihrer Mutter hatte ihrem Gedächtnis auf die Sprünge geholfen. Ihre Mutter war bei einer Beerdigung gewesen. Der Beerdigung von Alice Hall.

»Es war schon um drei zu Ende«, sagte Mrs Cardew erschöpft und legte ihre Handtasche auf den Tisch. »Und ich hatte ehrlich gesagt keine Lust mehr, danach noch ins Büro zu gehen. Ich weiß nicht, ob ich überhaupt zu der Beerdigung hätte gehen sollen. Ich meine, ich kannte die Frau ja kaum, aber …«

Debra legte den Arm um ihre Mutter und drückte sie an sich. Sie hatte Mrs Hall auch nicht gekannt, aber dennoch hatte sie die Nachricht von ihrem Herzinfarkt schockiert. Eine natürliche Ursache, hatten die Ärzte gesagt, allerdings möglicherweise verstärkt durch die Überdosis und den Stress.

»Tut mir leid«, sagte Mrs Cardew und nahm das Taschentusch, das Beth ihr reichte.

Beths Handy piepste und sie griff danach. Debra schenkte allen etwas zu trinken ein und setzte sich dann wieder, um schweigend ihre Mutter und Beth zu betrachten. Die eine nippte an ihrem Kaffee und die andere kümmerte sich um ihre SMS. Debra und Beth hatten beide in der vergangenen Woche derart viele SMS bekommen, dass sie nur mit Mühe den Überblick behalten konnten. Ganz zu schweigen von all den Briefen, Anrufen, Blumen und Karten. Darunter auch Dutzende Anrufe von Simon, über die sie sich gefreut hatte, eine ganz besonders süßliche Karte von Amy & Marc, die Debra überhaupt nichts ausgemacht hatte, und eine kurze E-Mail von Tim Simmonds, die sie zum Weinen gebracht hatte. Es ging ihm wieder gut, er wünschte ihr alles Gute und dankte ihr, dass sie an ihn geglaubt hatte. Er schien keine Spur wütend zu sein, dass sie sein Geheimnis verraten hatte. Jedenfalls erwähnte er das Gerichtsverfahren, das ihm drohte, mit keinem Wort. Keine Spur von Selbstmitleid.

»Das war Miriam«, sagte Beth. »Sie hat wieder mal Schuldgefühle. Dieses Dummchen!«

Debra bemerkte, dass Beth leise lächelte beim Sprechen. Ihre Bemerkung war keineswegs unfreundlich gemeint. Und sie hatten beide im Verlauf der letzten Woche nach Kräften versucht, Miriam zu beruhigen. Aber das war so gut wie unmöglich. Miriam, ihre Eltern, ihr Onkel, alle fühlten sich verantwortlich. Als hätten sie die Zeichen erkennen müssen. Als hätten sie wissen müssen, wie instabil und gefährlich Eddie geworden war.

So viele Leben waren ruiniert, dachte Debra. Aber nein. Sie wollte solche Gedanken nicht zulassen.

»Er wird nicht alles kaputt machen«, hatte Beth mehr als einmal gesagt. »Das werden wir nicht zulassen. Oder, Debra?«

Wie dumm. Sie machen so viel Aufhebens um die Sache. Mein Anwalt sagt, ich müsste mit zwanzig Jahren oder so rechnen, wenn ich mich nicht darauf berufe, dass ich geisteskrank bin. Zu nichts nütze, der Typ. Und dann Dad. Dad macht mich echt komplett verrückt. Aber das war ja schon immer so. Ständig quatscht er davon, dass er zu mir hält. Ich vermute, damit meint er, dass er mich dann jede Woche besuchen kommt. Er hält mir Moralpredigten und macht mir wie üblich ein schlechtes Gewissen. Starrt mich mit Tränen in den Augen an und wirft mir vor, ich hätte ihn enttäuscht. Oder noch schlimmer, er wirft sich selbst vor, mich enttäuscht zu haben. Weil er nie Zeit für mich hatte und immer zu sehr mit seiner Arbeit und seinem blöden Council beschäftigt war. Und zu sehr darauf bedacht, den äußeren Schein zu wahren, ohne dabei zu bemerken, was unter der Oberfläche gärte.

Letztlich war es Dad, der alles aus mir herausbekommen hat. Wo ich Debra versteckt hatte. Ich wollte es den Bullen nicht sagen. Ich wollte, dass sie arbeiten für ihr Geld und es selbst herausfinden. Aber Dad hatte es ohnehin schon fast erraten. Na ja, das war ja auch nicht allzu schwer. Er kannte die Immobilien genau, die auf ihre Verwertung warteten. Ich hatte sie gekauft. Ich hatte die Geschäfte abgewickelt, aber es war Dads Geld gewesen. Bei zweien war alles in bar abgewickelt worden, sodass die Transaktionen noch nicht einmal verbucht waren. Deswegen war ich auch ziemlich sicher, dass keiner kommen und nachsehen würde. Und so war es auch! Ich wäre schließlich fast damit durchgekommen!

Nachdem Dad es so weit erraten hatte, ging es jedenfalls nur noch darum, ihm zu sagen, welches Haus es genau war. Es war ganz zufällig das Endreihenhaus. Hatte irgend so einem alten Knacker gehört, der gestorben war. Die Vorhänge und die Hälfte der Möbel waren noch immer dort drinnen. Es war also ideal. Vor allem mit dem kleinen Gang und der hohen Mauer hinten raus. So konnte ich ganz leicht hinaus- und hineingelangen, ohne dass es jemand bemerkte.

Sie haben gesagt, es könnte gut für mich sein, wenn ich ihnen alles erzählen würde. Das zeigt nur, was für ein Haufen Lügner die sind. Ich hab ihnen sogar verraten, wo ich die Fotos und die Digitalkamera versteckt habe. Aber das wird mir auch nicht helfen, oder? Weil sie es sowieso auf mich abgesehen haben. Das konnte ich an ihren Augen sehen. Diese Bullen, die mich verhört haben, die mögen nämlich keine Leute, die mit Kindern rummachen.

»Haben Sie irgendeine Vorstellung davon, was diese beiden Mädchen durchgemacht haben?«, hat mich einer von denen gefragt.

»Und was ist mit mir?«, wollte ich sagen. »Glauben Sie, dass mir das alles hier besonderen Spaß macht?«

Aber ich habe es nicht gesagt. Ich habe nur den Kopf gesenkt und ein zerknirschtes Gesicht gemacht. Voller Reue. Damit konnte ich schon mal für die Gerichtsverhandlung üben. Die Geschworenen stehen nämlich auf Reue. Und was halten sie wohl von aufrichtigem Bedauern? Das könnte ich leicht genug bewerkstelligen. Ich meine, welcher einigermaßen klar denkende Mensch würde es nicht bedauern, in einem solchen Kuddelmuddel gelandet zu sein? Aber ich soll ja angeblich nicht zu den klar denkenden Menschen gehören.

Dad hat gesagt, sie hätte darauf bestanden, sich das Haus anzusehen. Debra. Sie wollte sehen, wo sie festgehalten wor-

den war. Sie hat auch darauf bestanden, die Fotos zu sehen.
Das gehöre zum Heilungsprozess, hat Dad gesagt. Und das
ist genau das, was ich mit »Aufhebens« meine. Sie machen
alles viel schlimmer, als es wirklich war. Ich sage es ihnen
doch immer wieder, zum Beispiel dass die Fotos alles andere
als deutlich waren. Und schließlich habe ich keinem der bei-
den Mädchen etwas getan, oder? Nicht wirklich.

»Dann komm, Debra«, sagte Beth, als sie aus dem Auto
stiegen. »Packen wir's!«

Sie fühlte sich ein wenig als Schummlerin, als sie Debra so
am Arm packte und sie durch das Schultor zog, so als würde
sie selbst sich ganz normal und selbstbewusst fühlen, genau
wie früher. Sie mochte vielleicht nach außen hin sicher wirken, aber das war in erster Linie Show. Theater. Mit dem sie
sich ebenso wie anderen etwas vormachen wollte.

Sie hatte Debra nichts von den Albträumen erzählt, die sie
Nacht für Nacht quälten. Sie hatte niemandem davon erzählt
und würde das auch nicht tun. Die Träume würden schon
nach und nach verschwinden, da war sie sicher. Und bis dann
musste sie eben Theater spielen. Das war, so hatte sie beschlossen, die einzige Lösung.

»Hey!«, rief eine Stimme, während Tonya und Safira zu
ihnen hergelaufen kamen. »Es ist gleich neun Uhr. Wir dachten schon, ihr würdet nicht kommen!«

»Na ja«, sagte Debra und überspielte damit die immense
Anstrengung, die es sie gekostet hatte. »Wir dachten, wir
könnten irgendwie still und heimlich reinschleichen, ohne
viel Aufhebens zu machen.«

Tonya und Safira schauten sich ein wenig verunsichert an,
während alle vier einen Augenblick beim Schultor stehen

blieben, genau an der Stelle, wo sie sich auch für das Zeitungsfoto aufgestellt hatten. Dabei fiel Debra wieder ein, dass sie Beth noch eine Neuigkeit mitteilen wollte.

»Die Polizei hat die Anklage gegen Tim fallen lassen«, sagte sie. »Wegen Evies Tod. Sie sagen, es gibt nicht genügend Beweise.«

»Und wie geht es mit ihm weiter?«, fragte Beth, während sie zum Schulgebäude hinübergingen. »Wird er wieder anfangen zu arbeiten?«

»Er fängt erst einmal mit ein paar Tagen pro Woche an«, sagte Debra. »Bis er wieder ganz in Ordnung ist. Er nimmt jetzt Tabletten gegen seine Depressionen und hat sich endlich bereit erklärt, eine Therapie zu beginnen. Es heißt immer, wenn man sich das Problem eingesteht, hat man schon halb gewonnen. He, wo gehen wir eigentlich hin?«

Sie waren durch die Eingangshalle und an der Aula vorbeigegangen und Debra hatte nach rechts in Richtung der Klassenzimmer abbiegen wollen, aber Tonya und Safira hatten sie nach links in Richtung des Oberstufen-Aufenthaltsraums gezogen.

»Wir haben keine Zeit mehr«, sagte Debra und spürte plötzlich, dass ihre Hände feucht wurden und ihr der Schweiß auf die Stirn trat. »Außerdem würde ich lieber direkt in den Unterricht gehen, einfach still und leise.«

»Huch«, sagte Tonya, als Safira die Tür aufstieß. »Tut mir leid, Debra.«

Der Jubel prallte ihnen entgegen, noch bevor Debras Augen den überfüllten Aufenthaltsraum, die bunten Luftballons und die Girlanden wahrnahmen. Sie warf einen Blick zu Beth hinüber, unsicher, ob sie jetzt lieber davonlaufen und wieder nach Hause gehen sollte, aber dafür war es zu spät.

Simon war bereits herbeigeeilt, hatte sie bei der Hand genommen und in den Raum geführt.

»Ich hab ihnen ja gesagt, dass du das alles bestimmt gar nicht willst«, flüsterte er. »Aber ein paar Leute konnten sich einfach nicht zurückhalten.«

»Nein, es ist schon in Ordnung«, sagte Debra. Simons Händedruck gab ihr Sicherheit, und sie nahm sich Beth zum Vorbild, die bereits einen verrückten kleinen Freudentanz in der Mitte des Raumes vollführte. Sie wollte etwas sagen, etwas tun, aber ihr krampfte sich die Brust zusammen und ihr Kopf drehte sich. Es war alles zu viel.

»Wir wollten nur …«, hob Simon an, »… sagen, dass, na ja, du weißt schon …«

Er hielt inne, schaute erst Debra an und richtete dann den Blick nach oben, sodass ihre Augen seinem Blick folgten.

Sie sah das riesige Transparent, das über die gesamte Länge des Aufenthaltsraumes gespannt war. Es war zuerst schwer zu lesen, die riesigen Buchstaben waren unscharf und verschwommen. Sie holte ein paarmal tief Luft, als Beth zu ihr hinüberkam. Wie sie so zwischen Beth und Simon stand, spürte Debra, dass sich ihre Muskeln entspannten, ihr Kopf langsam, aber sicher wieder klar wurde und ihre Augen wieder funktionierten. Beths Worte kamen ihr wieder in den Sinn … »Er wird nicht alles kaputt machen. Das lassen wir nicht zu. Nicht wahr, Debra?« Beth hatte recht. Es würde für sie beide nicht unbedingt einfach werden, aber den Anfang hatten sie bereits gemacht. Einen guten Anfang.

»Danke«, brachte Debra mit Mühe hervor und lächelte, als die Buchstaben endlich klar vor ihren Augen standen und sie die zwei Wörter auf dem Transparent lesen konnte:
WILLKOMMEN ZURÜCK.